Être policière : une profession masculine

Nouvelle édition revue et augmentée.

LINE BEAUCHESNE

Être policière : une profession masculine

Préface de **Louise Gagnon-Gaudreau,**
ex-directrice générale de l'École nationale de police du Québec

Présentation de **Lison Ostiguy,**
inspectrice-chef de la Section prévention et relations
communautaires du Service de police de la ville de Montréal

Nouvelle édition revue et augmentée.

Bayard
CANADA

Être policière : une profession masculine, nouvelle édition revue et augmentée est publié par Bayard Canada Livres

Révision : Chantal Bousquet, Pierre Guénette
Mise en pages et couverture : Mardigrafe
Photo de la couverture : © Lakota Photography

© 2009, Bayard Canada Livres inc.
4475, rue Frontenac, Montréal (Québec) H2H 2S2
C.P. 990, succursale Delorimier, Montréal (Québec) H2H 2T1

Dépôts légaux : 3e trimestre 2009
Bibliothèque et Archives nationales du Québec
Bibliothèque et Archives Canada

ISBN 978-2-89579-263-5

Nous reconnaissons l'aide financière du gouvernement du Canada par l'entremise du Programme d'aide au développement de l'industrie de l'édition (PADIÉ) pour nos activités d'édition.

Bayard Canada Livres inc. remercie le Conseil des Arts du Canada du soutien accordé à son programme d'édition dans le cadre du Programme des subventions globales aux éditeurs.

Cet ouvrage a été publié avec le soutien de la SODEC. Gouvernement du Québec — Programme de crédit d'impôt pour l'édition de livres — Gestion SODEC.

Catalogage avant publication de Bibliothèque et Archives nationales du Québec et Bibliothèque et Archives Canada

Beauchesne, Line, 1955-

Être policière : une profession masculine

Comprend des réf. bibliogr.

ISBN 978-2-89579-263-5

1. Policières - Québec (Province). 2. Division sexuelle du travail. 3. Rôle selon le sexe en milieu de travail. 4. Lois - Application. I. Titre.

HV8023.B42 2009 363.2082 C2009-941225-X

Imprimé au Canada

À mes étudiantes et étudiants

Remerciements

J e tiens à remercier plusieurs collègues universitaires qui ont pris soin de lire des versions antérieures de ce texte pour enrichir ma réflexion de leurs commentaires : Colette Parent, Ross Hastings, Monique Lortie-Lussier, Monique Bégin, Caroline Andrew.

Je veux aussi remercier tous ceux qui, par leurs encouragements, m'ont aidée à mener à terme cette recherche. Également, un merci tout spécial pour la générosité de leur temps et de leurs commentaires à l'inspectrice-chef Lison Ostiguy, qui fait la présentation du livre, et à l'ex-directrice générale de l'École nationale de police du Québec, madame Louise Gagnon-Gaudreau, qui a gentiment accepté de le préfacer.

La rédaction de ce livre s'est faite dans un esprit familial joyeux qui a allégé considérablement ma tâche intellectuelle. Merci John, Emma et Adam !

Enfin, je veux remercier Jean-François Bouchard, des éditions Bayard Canada, qui a cru dès le départ en ce projet et m'a ouvert les portes de sa maison d'édition pour mettre à jour ce livre, paru initialement en 2001.

Line Beauchesne

Résistances et changements

Trente ans après l'embauche des premières policières, voici un ouvrage remarquable qui traite de la difficile intégration de ces femmes dans un univers masculin.

Les policières, les policiers et le public apprendront énormément de ce livre. C'est pourquoi je souhaite qu'il soit diffusé auprès d'un large auditoire.

Une auteure ose décrire une situation où, en règle générale, le silence est d'or. Les policières devraient désormais « oser dire ». Mais la chose est difficile quand elles sont isolées tout en subissant la pression d'un groupe très majoritairement masculin. Des résistances demeurent.

Il n'existe aucune solution facile, aucune formule magique.

Mais je crois que le réseautage constitue l'une des pistes les plus prometteuses pour briser l'isolement, permettre une mise en commun des expériences vécues et élaborer des pistes de solution. Mais encore faut-il que les policières s'y intéressent et voient dans les réseaux d'entraide un moyen privilégié pour établir et développer la crédibilité de leurs actions.

Des changements importants sont en cours dans la police, changements desquels les policières ont beaucoup à gagner, comme le souligne l'auteure.

Ainsi, une réforme majeure du programme de formation policière de base a été réalisée en 1997, deux ans après mon arrivée à la direction générale de l'Institut de police du Québec, devenu depuis l'École nationale de police du Québec. Cette réforme introduisait, entre autres, une formation sur les exigences de la police professionnelle de type communautaire.

Toutefois, l'auteure est sceptique à l'égard de l'internat (il s'agit de certaines formations policières en milieu fermé) propre à la formation policière. Je comprends certaines de ses réserves. J'en avais également lorsque j'ai assumé la direction de l'École de police. Depuis, mon expérience m'a convaincue des avantages de cette formule dans la formation.

Ainsi, l'internat des aspirantes et des aspirants policiers est maintenu au Québec parce qu'il s'agit d'un moyen privilégié pour offrir un encadrement pédagogique supérieur, une socialisation et une ouverture aux autres et aux différences. L'internat permet aussi de mesurer, dans un cadre réaliste et valable, l'atteinte nécessaire des compétences exigées et de leurs composantes comme l'intégrité, l'autodiscipline, l'autonomie, l'initiative, la recherche de l'excellence, la tenue, le maintien et l'efficacité à travailler en équipe. Quant à la discipline, elle est absolument nécessaire dans ce métier, comme l'ont démontré les événements du Sommet des Amériques, à Québec, en avril 2001.

Ce livre, on peut le deviner, suscitera des débats et des réflexions. Il servira de référence, tant à la recrue qu'aux professionnels expérimentés.

Remarquable par le traitement du sujet, par la richesse de la documentation et par la suggestion de pistes de solution, ce livre permettra aux policières d'avoir « les mots pour le dire ».

L'analyse, la réflexion et la formation font avancer une société. Ce livre y contribue largement.

Louise Gagnon-Gaudreau, directrice générale
École nationale de police du Québec
Novembre 2001

Les femmes n'entrent pas dans la police pour la changer

C'est avec plaisir que j'ai accepté de présenter ce livre parce qu'il est au cœur des difficultés d'intégration des policières et également des difficultés d'implantation des nouvelles pratiques policières. Ces embûches nous rappellent la nécessité de procéder à des changements dans la culture organisationnelle.

Malgré mon expérience de vingt-deux ans comme policière, ce livre m'a fourni un éclairage qui m'aidera à mieux entrevoir ces préoccupations. En d'autres termes, les changements dans la culture organisationnelle, qui amélioreraient l'intégration des policières, profiteraient à tous ceux qui veulent une police différente de la police traditionnelle, c'est-à-dire répressive. Ces changements profiteraient à tous ceux qui désirent une police plus orientée vers les besoins de la communauté, vers la résolution de conflits par la conciliation plutôt que par les arrestations, vers la prévention globale des problèmes plutôt que par la réaction individuelle à ceux-ci.

Dès le premier chapitre, on apprend l'histoire des femmes dans la police, histoire qui remonte au début du XXe siècle, où des femmes ont revendiqué le statut de policière pour leur travail communautaire et de prévention au sein de la police. On leur a refusé ce statut. Les services policiers leur ont expliqué que la fonction de la police, c'est d'abord et avant tout faire de la répression, et que faire de la répression est un travail d'hommes. Ainsi, dès le début du XXᵉ siècle, la définition même de ce qu'est la police, sa culture, a servi de frein à la reconnaissance du travail des femmes dans la profession, au nom de la masculinité de la profession.

Line Beauchesne va alors nous amener à mieux comprendre ce que signifie une culture masculine de travail, soit une culture où l'identité masculine est liée à l'affirmation dans la profession. Ce lien, encore aujourd'hui, constitue un obstacle majeur tant à l'intégration des femmes dans la police qu'à l'implantation de la police communautaire, perçue selon l'image que plusieurs se font de la profession.

Ceci ne veut pas dire que les femmes entrent dans la police pour la changer. Les motivations des femmes et des hommes sont identiques, comme l'auteure nous l'explique au troisième chapitre. De plus, les critères de recrutement, de sélection et les valeurs de la formation demeurent ancrés dans une culture traditionnelle à laquelle les femmes cherchent à participer. Elles désirent ardemment faire partie de cette culture à laquelle, le plus souvent, elles s'associent. En tant que cadre qui évalue les policiers et les policières en fin de période d'essai, je constate peu de changements à l'égard de la culture traditionnelle dans les attentes professionnelles de ces nouvelles recrues. Et cela vaut également pour les policières.

Mais, dans un milieu où la répression, pour plusieurs, demeure masculine et essentielle à la définition policière, leur situation les confronte peu à peu aux difficultés d'être à la fois reconnues en tant que femmes et policières compétentes. Cela s'accentue si les policières gravissent les échelons de la hiérarchie pour se diriger vers les secteurs de la police « de type » plus masculin. Et, comme nous l'explique l'auteure dans le quatrième chapitre, l'augmentation du nombre de policières ne modifiera pas en profondeur ces difficultés d'intégration s'il n'y a pas de changements dans cette culture policière.

Au début, les policières, préoccupées de bien réussir, peuvent éviter de se confronter à la difficulté d'être à la fois femme et policière. Mais l'expérience les amènera, tôt ou tard, à confronter leur identité féminine aux stéréotypes masculins de la profession. Pour plusieurs d'entre elles, la difficile conciliation du travail et de la famille viendra concrétiser encore davantage le fait que la mère et la policière ne font pas nécessairement bon ménage dans cette culture organisationnelle.

J'ai personnellement vécu le manque de modèle féminin quand j'ai dû assumer un poste de gestion. Comme l'explique l'auteure dans le septième chapitre de son livre, les valeurs associées à l'autorité sont masculines, et les femmes qui assument une fonction d'autorité ont plus de difficulté à être crédibles dans ce rôle.

Mais l'auteure ne nous laisse pas sur ces difficultés. Tout au long du livre, et au dernier chapitre, elle donne des pistes pour modifier la culture policière ainsi que des stratégies qui permettront, je l'espère, de modifier cette culture. C'est la raison principale qui m'amène à croire que ce livre ne sera pas un ouvrage qu'on lit et met de côté. Il sera un outil de référence essentiel pour alimenter la réflexion au sujet de ce que l'on désire que soit la police aujourd'hui, une police dont la culture ne s'articulera plus sur la masculinité et la féminité, mais sur des valeurs qui permettront les changements nécessaires à une véritable orientation vers le communautaire dans laquelle tous, hommes et femmes, pourront s'inscrire.

Lison Ostiguy
Inspectrice-chef de la Section prévention et relations
communautaires du Service de police de la ville de Montréal
Novembre 2001

L'intégration des policières dans une profession masculine

Voulons-nous nous assimiler dans la culture de la police ou n'est-ce pas plus souhaitable que l'institution évolue vers une situation où la masculinité et la féminité ne soient plus des caractéristiques pertinentes dans le nouvel univers de la police? (Surintendant Beverly Ann Busson, GRC, 1997, p. 145.)

Ce sont en majorité des étudiantes, ces dernières années, qui se dirigent vers les professions liées au domaine de la justice pénale. Celles-ci, pour une bonne partie, se préparent à entrer dans des professions traditionnellement masculines, dont celle de policière. Et dans cette profession, comme dans les autres qui sont traditionnellement masculines, les recherches constatent unanimement que l'entrée des femmes n'a pas encore conduit à leur pleine intégration. Pourquoi? Le nœud des résistances est l'idéologie professionnelle qui se traduit dans la culture organisationnelle. La présence des policières constitue un bouleversement des normes, des pratiques et des codes de travail liés à l'image même de cette profession, lieu d'affirmation de la masculinité. Les policières n'y seront pleinement intégrées qu'avec une transformation de cette culture de travail. Il ne s'agit pas de remplacer une culture masculine par une culture féminine de travail ; cela veut dire que la participation égalitaire des sexes ne pourra se faire qu'avec une culture organisationnelle dont les valeurs ouvrent à cette égalité.

Les recherches sur les policières ont déjà, dans l'ensemble, abordé les difficultés pour les femmes de s'intégrer à cette culture. Peu d'entre elles, toutefois, ont remis en cause sa légitimité, centrant leurs analyses sur les correctifs à apporter pour diminuer les interactions sexistes au travail ou encore pour corriger les politiques de travail discriminatoires (Beauchesne, 1999).

Dans cet ouvrage, nous analyserons les difficultés d'intégration des policières en lien avec cette culture organisationnelle découlant de l'idéologie professionnelle afin de mieux saisir les pistes d'action susceptibles de les diminuer.

Nous aborderons en premier lieu l'historique de l'entrée des femmes dans la police, et ce qui a permis leur insertion dans l'ensemble des fonctions policières au cours des années 1970 (chapitre I). Ensuite, nous définirons les caractéristiques de la profession, qui l'ancrent dans une culture masculine de travail (chapitre II), et les résistances que cette culture amène à l'égard des femmes dans cette profession (chapitre III). Ces résistances ont des conséquences négatives d'autant plus grandes sur l'intégration des policières que ces dernières sont encore en situation minoritaire (chapitre IV) dans une organisation qu'elles viennent « féminiser » de leur présence (chapitre V). De plus, sur le plan social, les policières ont à composer avec le fait que les femmes sont toujours considérées comme les principales responsables du bien-être familial (chapitre VI) et ont peu de crédibilité pour occuper des postes d'autorité (chapitre VII).

Au regard de cette analyse, nous conclurons sur le rôle des organisations policières afin que voient le jour non seulement des stratégies accommodatrices, permettant aux policières d'accroître leur participation dans la profession, mais également des stratégies transformatrices de la culture de travail afin que celles-ci y soient pleinement intégrées (chapitre VIII).

Notre analyse se restreindra principalement aux fonctions municipales effectuées par les différents corps de police canadiens. En 2007, ces fonctions étaient celles des 2/3 des agents de police, soit 42 169 des 64 134 agents assermentés[1] (Centre canadien de la statistique juridique, 2007, p. 16). Ce nombre comprend les membres des corps de police municipaux ou régionaux de même que ceux qui, par contrat avec les municipalités, sont membres de la Gendarmerie royale du Canada (GRC), ou encore, en Ontario et au Québec, membres des corps de police provinciaux, soit la Police provinciale de l'Ontario (PPO) et la Sûreté du Québec (SQ)[2]. La restriction de l'étude à ces fonctions permettra de mieux cibler les problèmes et les changements à effectuer.

1. 75 000 personnes travaillent dans les services de police au Canada. Mais toutes ne sont pas agents de police. En fait, le quart d'entre elles est constitué de personnel civil affecté à des tâches administratives et techniques, personnel dont les 2/3 sont des femmes (Centre canadien de la statistique juridique, 2007, p. 15). Ce personnel civil ne fait pas partie de cette étude.

2. « Trois options s'offrent aux municipalités qui souhaitent offrir des services policiers municipaux : former leur propre service de police, fusionner avec un service de police existant ou conclure un contrat avec le service de police provincial ou avec la GRC. » (Centre canadien de la statistique juridique, 2008)

CHAPITRE I

De « femmes dans la police » à « policières »

La première arrestation par une policière au Canada eut lieu le 5 août 1912 à Vancouver. Minni Miller procéda ce jour-là à l'arrestation de William Borden pour comportement grossier envers des femmes sur une plage : Le lendemain, les accusations portées contre M. Borden ont été déclarées non fondées, en raison du sentiment général selon lequel le fait d'avoir été arrêté par une femme constituait déjà une honte et une punition suffisantes. (Moore, 1997, p. 46.)

Depuis le début du XXe siècle, et même à la fin du XIXe, selon les pays (Appier, 1998 ; Horne, 1980 ; Seagrave, 1995), les femmes ont occupé une place importante dans les organisations policières. Pourtant les écrits historiques sur la police taisent leur travail et leur réflexion même si elles ont laissé de nombreux écrits, et si une organisation internationale a milité activement pour leur reconnaissance en tant que policières. Au Canada, la plus importante étude historique sur la police jusqu'aux années 1980 était celle de Kelly et Kelly (1976); on n'y faisait aucune mention du travail de ces femmes.

Dans un premier temps, nous aborderons leur histoire. Par la suite, nous verrons le changement de statut des femmes dans la profession au début des années 1970, soit leur passage du statut de « femmes dans la police » à « policières ».

Avant les années 1970 : des « femmes dans la police »

Leur revendication : la valorisation de la fonction préventive

À la fin du XIXe et au début du XXe siècle, pour répondre aux multiples problèmes humains amenés par la croissance des villes et l'industrialisation, des femmes œuvrent dans le réseau des organismes de charité (églises, sociétés nationales, associations privées, lieux de soutien temporaire, etc.). Elles n'y sont pas passives, attendant l'aide de l'État. Au contraire, ces femmes de milieu aisé créent et dirigent plusieurs de ces organisations, plus spécifiquement celles qui s'occupent des femmes et des enfants[3]. Leur motivation principale est de sauver ces personnes des « mauvaises influences ». Leur charité s'inscrit non pas dans une remise en question des classes sociales et de la pauvreté, mais dans le cadre de la protection des bonnes mœurs.

C'est à cette époque que les organisations policières recrutent des femmes ; leur fonction principale est d'intervenir dans la protection et le contrôle des femmes et des jeunes (Berg, 1992 ; Grennan, 1993 ; Heidensohn, 1992 ; Schulz, 1995 ; Seagrave, 1995)[4]. Au Canada, les premières femmes dans les organisations policières sont embauchées à Vancouver en 1912 ; dans les années qui suivent, d'autres organisations policières de grandes villes emboîtent le pas (Marquis, 1992).

Lors de la Première Guerre mondiale, leur nombre s'accroît et elles sont également assignées à des tâches de sécurité, comme la garde des dépôts de munitions. Au lendemain de la

---

3. Sur la situation à Montréal à cette époque, voir Harvey, 1992, et Moore, 1997.

4. Elles sont également recrutées comme matrones dans les prisons (Carrigan, 1991 ; Stewart, 1993).

guerre, toutefois, elles sont « repoussées » dans les unités spéciales, bureaux distincts sous la tutelle des organisations policières. Mais ces femmes n'y effectuent pas un retour passif. Comme en témoigne l'autobiographie de la commandante Mary S. Allen (1973, © 1925), elles militent pour la reconnaissance pleine et entière de leur travail au sein de la police, et elles n'ont pas l'intention de demeurer des subalternes dans l'organisation. Elles veulent le statut de collègue de travail avec les salaires et les cheminements de carrière qui peuvent en résulter, considérant l'importance de leur fonction préventive en matière de criminalité.

Plusieurs de ces pionnières dans les organisations policières sont dans la quarantaine, instruites et de classe aisée, et elles bénéficient de l'appui d'organisations et de groupes de femmes (Moore, 1997). Le 17 mai 1915, à Baltimore, elles fondent l'Association internationale des policières. Par des écrits, des conférences et des rencontres auprès du public et des autorités politiques et policières, elles entreprennent une campagne vigoureuse pour la valorisation de leur travail au sein de la police, travail qu'elles jugent essentiel à la prévention du crime. Pour cette raison, elles demandent que des femmes soient embauchées dans tous les services policiers (Horne, 1980).

Jusque-là, leurs revendications ne causent pas vraiment problème aux organisations policières. Celles-ci reconnaissent qu'effectivement le travail social des femmes a son importance, principalement dans les grands centres urbains, et que cela relève de leur domaine (Berg, 1992 ; Jones, 1986). On reconnaît même dans plusieurs milieux que les femmes possèdent une certaine supériorité morale pour accomplir ce travail (Heidensohn, 1992). Leurs actions en vue de la protection des bonnes mœurs des femmes et des jeunes filles en fugue se traduisent principalement par le contrôle de la prostitution et de l'indécence publique.

De plus, le renforcement de la morale patriarcale va dans le courant des valeurs dominantes.

La cassure avec les revendications de ces femmes va s'opérer en 1922. Cette année-là, une résolution adoptée par l'Association internationale des policières stipule que, comme le travail social des femmes est essentiel à tout corps de police moderne, celles qui l'effectuent doivent recevoir tous les attributs et privilèges de la profession (Carrier, 1989 ; Schulz, 1995). Elles n'entrent pas en compétition avec les policiers en demandant d'effectuer les tâches de répression, mais exigent que leurs tâches spécifiques soient reconnues comme essentielles à la profession.

> L'Association des femmes dans la police a montré que les tâches que l'on confiait aux femmes, parce qu'on ne les considérait pas comme aptes à être policières, étaient en fait essentielles à la profession. Et elles y étaient les plus compétentes, car ces tâches étaient directement liées à leur expérience en tant que mère et gardienne des valeurs morales. De plus, les femmes se disaient prêtes à assumer des tâches que les policiers n'aimaient pas, particulièrement les tâches de secrétariat. Elles se sont ainsi professionnellement définies dans des fonctions complémentaires — plutôt qu'en compétition — aux fonctions répressives traditionnelles des policiers masculins. (Martin, 1980, p. 23-24. Notre traduction.)

Leur revendication du statut de collègue professionnelle est rejetée sans équivoque par les organisations policières : les femmes doivent demeurer attachées à des unités féminines spéciales sous la tutelle des organisations policières, et sans le statut de policier. L'argument invoqué pour ce refus est que les femmes ne peuvent être considérées comme de vraies agentes de police puisqu'elles n'ont pas accès aux tâches directes de contrôle social et de répression, fondements de la profession et tâches masculines (Appier, 1992, 1998 ; Horne, 1980 ; Jones, 1986 ; Lock, 1979 ; Schulz, 1995).

Dans les années 1920, la tension monte entre les organisations policières et les femmes qui soutiennent cette revendication professionnelle. Dans les années 1930, lorsque les femmes n'ont pas été simplement congédiées (Moore, 1997), elles aboutissent dans

> un bureau distinct pour les femmes agents ; de cette façon, on limite la lutte pour l'avancement entre les hommes et les femmes et on s'assure que les agents masculins ne sont pas supervisés par des femmes promues aux échelons supérieurs. Le plus souvent, les femmes se trouvent ainsi moins bien rémunérées, et leurs possibilités d'avancement en souffrent. (Linden et Minch, 1984, p. 5.)

Le mouvement des femmes voulait ces bureaux distincts, car le travail des femmes était considéré comme différent de celui des hommes. Cette situation, toutefois, rendait leur travail invisible et contribuait à leur isolement professionnel. Ainsi, l'affaiblissement en nombre et en pouvoir des femmes dans les organisations policières, la fin des activités de l'Association internationale des policières en 1932[5] et le renforcement des fonctions répressives de la police dans les années 1920 et 1930 sous l'égide d'August Vollmer, O. W. Wilson et J. Edgar Hoover, marquent la fin du militantisme de cette période. « La Dépression et ses effets firent le reste, réduisant presque à zéro leur embauche dans la police. » (Horne, 1980, p. 31. Notre traduction.)

Au lendemain de la Seconde Guerre mondiale, certaines femmes furent de nouveau embauchées par les organisations policières, recevant même une certaine formation et portant l'uniforme (Moore, 1997). L'attitude à leur égard, toutefois, n'a

---

5. À noter que le 2 septembre 1969, l'Association sera réactivée sous le nom de International Association of Women Police, association que l'on peut retrouver à cette adresse Internet : [http://www.iawp.org].

pas vraiment changé ; on refuse toujours de les considérer en tant que collègues de travail (Beeder, 1992 ; Berg, 1992 ; Schulz, 1993a et b, 1995). Leur situation se profile généralement ainsi :
- Elles sont moins rémunérées que les hommes pour un plus grand nombre d'heures de travail.
- Elles sont plus scolarisées que les hommes, mais ont peu de possibilités de promotion.
- Elles ne sont pas considérées comme de « vraies » policières, car elles sont restreintes à un nombre de tâches limité.
- Elles sont confinées à des bureaux distincts à l'intérieur des organisations policières (Breece et Garrett, 1977).

En somme, c'est essentiellement sur la base d'une division sexuelle des tâches que l'on a refusé aux femmes l'accès au statut de policières (Grennan, 1993). Les tâches sociales et préventives sont jugées féminines, et l'on refuse qu'elles définissent le travail de la police. La police se définit par la répression du crime, et les tâches qui découlent de cette mission ne peuvent être remplies que par des hommes.

La syndicalisation et la professionnalisation de la police, comme elles se développeront par la suite, renforceront cette idéologie professionnelle et sa traduction dans une culture organisationnelle paramilitaire en vue d'activités plus centrées sur la répression.

Professionnalisation et syndicalisation : la valorisation de la fonction répressive

Au début du XXe siècle, une classe moyenne émerge, l'urbanisation complexifie les structures organisationnelles des villes et l'idéologie du « progrès » domine les mentalités. Cela suscite une volonté de réorganiser plusieurs institutions afin de mieux répondre aux besoins nés de ces changements. Le concept « d'administration scientifique » des services pour accroître leur performance est très populaire, autant pour la réorganisation du travail ouvrier (le « taylorisme ») que pour les institutions. Dans cette foulée, le système scolaire devient un moyen de préparer plus efficacement les jeunes à exercer certains métiers.

Entre 1910 et 1930, plusieurs critiquent l'organisation policière telle qu'elle existe en ce début de siècle ; on lui reproche surtout son inefficacité et sa corruption qui la rendent incapable de protéger les citoyens, particulièrement des délits contre la propriété, des vols de banque et des agitateurs dans la classe ouvrière (Fijnaut, 1980). Au début des années 1930, des commissions nationales, dans plusieurs pays, vont entreprendre des réflexions pour répondre à ces problèmes. Cet ensemble de critiques et de considérations mène à une série de stratégies qui traceront les pourtours du professionnalisme policier dans les années 1960. Ces stratégies conduiront à :

- l'abandon des fonctions qui ne sont pas reliées au maintien de l'ordre, comme la recherche de chiens errants, la vérification et la distribution de permis, etc. ;
- une plus grande centralisation et homogénéité de l'organisation policière ;
- la conception de ce métier comme une science dont on fait l'apprentissage ;
- la valorisation de moyens d'action plus sophistiqués en matière de répression qui utilisent la technologie moderne ;
- la spécialisation de certaines fonctions, dont la prévention du crime, par la gestion d'opérations d'infiltration de groupes identifiés comme sources potentielles de troubles sociaux et l'amélioration des banques de renseignements. (Funk et Werkentin, 1978 ; Institute for the Study of Labor and Economic Crisis, 1982.)

Ainsi, ces stratégies de « professionnalisation » de la police reposent, d'une part, sur des changements technologiques en vue d'une plus grande répression du crime ; il en découle que les exigences de formation sont perçues essentiellement comme l'acquisition d'habiletés techniques et opérationnelles. D'autre part, ces stratégies impliquent des changements organisationnels orientés vers une structure paramilitaire, changements associés à l'importance croissante du rôle de la police en tant qu'armée locale pour contrôler les manifestations, les révoltes populaires et autres désordres publics ; la police doit pouvoir répondre efficacement à cette fonction de contrôle par une structure de gestion adéquate (Blumberg et Niederhoffer, 1970 ; Price, 1977).

Ce professionnalisme très technique et soutenu par une gestion de style paramilitaire amène une extension de la bureaucratie administrative, multipliant les niveaux hiérarchiques. La valorisation de la fonction répressive maintient la légitimité de cette structure de gestion (Funk et Werkentin, 1978). Jumelée au pouvoir discrétionnaire propre à la pratique policière, cette bureaucratie fondée sur une gestion paramilitaire fait que les informations « se perdent » en passant du bas vers le haut de la hiérarchie. Les gestionnaires, souvent mal informés, cherchent alors à préserver leur contrôle et à conserver l'esprit de corps de l'institution par toute une série de réglementations disciplinaires et de protocoles de style militaire (Ericson, 1992 ; Mouhanna, 2007). Cette centralisation et cette bureaucratisation cristallisent de plus en plus la gestion de style paramilitaire (Dale, 1994 ; Forcese, 1999).

Les changements de valeurs des années 1960 seront porteurs de tensions et de bouleversements dans les relations de travail et les politiques de gestion du personnel issues de cette gestion paramilitaire. Plusieurs recrues acceptent de moins en moins ces modes de gestion où les ordres, sanctions et exigences de travail ne peuvent être discutés, sous peine de perdre une promotion et même d'être renvoyées. Les policiers acceptent difficilement que plusieurs postes dans la police, comme ailleurs dans la fonction publique à cette époque, soient sujets aux aléas des changements de parti. De plus, avant les années 1960, être policier au Canada, comme d'ailleurs occuper n'importe quel emploi dans la fonction publique, est peu payant. Les gens sont considérés comme étant au service du bien public et cela fait partie de la récompense de travail. C'est la grogne dans la fonction publique pour des salaires plus élevés et de meilleures conditions de travail. Dans les corps de police canadiens, ce contexte conduit à la formation de syndicats[6].

Quelles sont les particularités des batailles syndicales dans la police canadienne ?

Au début, les conditions de travail se négocient très différemment selon l'importance du corps policier, ce qui crée d'énormes disparités entre les grandes villes et les petites municipalités de même qu'entre les différentes provinces : l'enjeu des grèves est alors la parité avec un confrère mieux payé, ce qui déclenche une véritable surenchère à la grandeur du Canada.

Les chefs de police sont mis de côté dans ces négociations. Ils n'en sont pas partie prenante puisque ce sont les autorités politiques et non eux qui décident de l'assiette budgétaire. Cela a des conséquences sur leur pouvoir au fur et à mesure que les associations policières gagnent en force et en cohésion ; elles négocient avec les autorités politiques non seulement les salaires et les conditions de travail, mais certains rapports d'autorité qui en arrivent à restreindre les pouvoirs des chefs de police. À chaque

---

6. « À la GRC, il n'y a pas de syndicat ; toutefois, chaque division compte au moins un "représentant divisionnaire des relations fonctionnelles (RDRF)". Les représentants, qui sont élus, sont les porte-parole de tous les membres. Ils visitent les détachements de la division pour déterminer s'il existe des problèmes, ils siègent à des conseils d'avancement et de grief, et, deux fois par année, ils rencontrent le commissaire pour lui faire part de questions qui intéressent les membres. » (Walker, 1993, p. 121.)

négociation, ces derniers perdent du terrain, et ce, particulièrement pendant la période de récession des années 1970 où plusieurs villes négocient certaines prérogatives des chefs de police en échange de hausses salariales moindres.

Les chefs de police sont coincés dans ces batailles. S'ils prennent parti pour la protection de leurs pouvoirs, ils s'opposent à leurs hommes, ce qui brise l'esprit de solidarité, fondamental à un système paramilitaire. S'ils ne prennent pas partie, leur pouvoir est grugé au profit des associations syndicales, diminuant ainsi leur capacité de gestion. Cette situation se retrouve même dans les petites municipalités, car les grandes associations urbaines aident les associations locales à préparer leurs négociations.

Le bénéfice de cette situation est, bien sûr, une réduction des disparités dans les conditions de travail entre les grandes villes et les petites municipalités, de même que l'implantation de normes plus formelles de recrutement, d'évaluation des performances, de promotion, de définition de tâches, de salaires et de prise en compte de l'ancienneté. Les policières vont grandement bénéficier de ces gains lorsqu'elles revendiqueront leur entrée dans la totalité des fonctions policières.

Le problème de cette situation, toutefois, est que cet activisme syndical s'est fondamentalement construit sur la définition de la police en tant qu'institution de répression, en renforçant le mythe de la dangerosité de la profession (Arcand, 1976 ; Grant, 1981 ; Jackson, 1978). La valorisation de ce mythe a permis non seulement aux syndicats de justifier l'amélioration des salaires, mais les a amenés également à revendiquer une formation et une technologie de plus en plus sophistiquées pour faire face aux « dangers » de la profession en vue d'une meilleure répression. Ils sont ainsi venus renforcer l'image professionnelle paramilitaire légitimée par la répression, tel que développé dans les années 1960. Pouvait-il en être autrement ?

Pour être réaliste, disons qu'une association (syndicale) qui exer-
cerait de fortes pressions pour obtenir des changements capables,
selon elle, de rendre plus professionnel le rôle du policier, pourrait
bien ne pas recevoir un appui très solide de ses membres. Les
jeunes s'intéressent plus aux résultats immédiats et évidents,
comme les hausses de salaire, qu'aux avantages plus abstraits et à
plus long terme de la reconnaissance professionnelle. D'autre part,
les policiers plus âgés peuvent considérer les changements appor-
tés au nom du « professionnalisme » comme une critique implicite
de ce qu'ils sont et de ce qu'ils ont fait, ou comme une menace
pesant sur leur carrière. Autrement dit, les démarches que fait une
association pour accéder au statut professionnel comportent de
grands risques stratégiques. (Jackson, 1978, p. 27.)

La conséquence de cette situation a été la participation
active des syndicats policiers aux résistances à l'entrée des policières dans l'ensemble des fonctions, dans les années 1970. L'enjeu était la protection des acquis syndicaux que cette idéologie
professionnelle avait servi à justifier (Manning, 1991).

Toutefois, même si le renforcement de cette culture professionnelle venait accroître le doute sur la capacité des femmes à
devenir policières, le caractère plus formel des critères d'embauche, d'évaluation, de rendement, de promotion et de rémuné-
ration obtenu par les associations syndicales facilitera les batailles
des femmes pour entrer dans la police au début des années 1970,
en leur permettant de prouver plus aisément leurs compétences.

Après les années 1970 : des « policières »

La population accepte relativement bien, au début des années 1970,
l'arrivée des policières dans la totalité des fonctions policières. Cela
contraste avec l'accueil en milieu policier, où on ne leur a ouvert les
portes que sous les pressions juridiques, politiques et judiciaires.

En fait, dans l'ensemble des pays, ce sont d'abord les lois en matière de droits de la personne et les pressions de groupes féministes sur les gouvernements pour mettre ces lois en œuvre qui font que des changements ont lieu (Horne, 1980 ; Mahajan, 1982 ; McTeer, 1997 ; Mezey, 1992 ; Pruvost, 2007, 2008 ; Seagrave, 1995). Entre autres pressions, celle d'instaurer des pratiques d'embauche non discriminatoires va jouer un rôle clé (Burnstein, 1989 ; Felkenes, 1992a et b ; Felkenes et autres, 1993 ; Grennan, 1993 ; Heidenshon, 1992 ; Lebeuf, 1997 ; Palombo, 1992a et b).

Au Canada[7], cette voix se fait entendre par le biais de la Commission royale d'enquête sur le statut de la femme, dans son rapport de l969. La recommandation 36 demande la mise en place de mesures concrètes pour l'élimination de toute discrimination basée sur le sexe lors de l'embauche, particulièrement dans les professions à prédominance masculine au sein de la fonction publique fédérale. À la suite de cette recommandation, le gouvernement fédéral entreprend de réviser et de modifier tous les programmes de recrutement de la fonction publique pour faciliter l'augmentation du nombre de femmes et leur intégration dans les catégories professionnelles à prédominance masculine (Dubois, 1992, 42-43). La Gendarmerie royale du Canada (GRC), l'une des agences gouvernementales visées, est explicitement mandatée pour mettre en œuvre un programme d'équité en matière d'emploi, tant à l'égard des femmes que des minorités. Elle devient ainsi rapidement le point de référence politique en la matière, amenant les gouvernements provinciaux à faire également pression sur les services policiers provinciaux et municipaux afin qu'ils fassent de même. Mais cela n'ira pas de soi.

---

7. Pour une histoire détaillée de la situation américaine, voir Roberg et Kuykendall, 1993 ; Schulz 1993a et b et l995 ; Seagrave, 1995 ; Trostle, 1992. Pour la situation française, voir Pruvost, 2007, 2008.

Une série de batailles judiciaires seront menées par les femmes pour dénoncer certains critères d'embauche discriminatoires comme la taille et le poids requis, de même que certaines exigences de force physique[8]. La base de leurs contestations n'est pas que soient prises en compte leurs caractéristiques biologiques et leurs habiletés « naturelles » en établissant des critères différents pour faciliter leur entrée dans la profession ; cela n'aurait pas été menaçant pour le milieu policier. La base de leurs contestations est que certaines exigences de taille, de poids et de force sont discriminatoires à leur égard, car elles ne sont pas du tout nécessaires à la profession (Hale et Menniti, 1993 ; Palombo, 1992). C'est l'image même du policier jugé idéal qui est remise en question.

La résistance ne tarde pas à se manifester. Le discours qui la porte repose essentiellement sur l'affirmation de l'impossibilité « naturelle » des femmes à accomplir certaines tâches (Lebeuf, 1997). Sur le terrain, cette résistance se traduit par diverses stratégies visant à les confiner à des tâches et à des rôles différents, surtout en leur bloquant le plus possible l'accès à l'auto-patrouille, symbole par excellence du « vrai » travail policier (Horne, 1980).

> Par exemple, plusieurs des femmes-agents interviewées par Prindiville à Vancouver ont affirmé que les tâches qu'on leur confiait dans une telle structure étaient si restreintes qu'elles devaient souvent se trouver elles-mêmes du travail pour se tenir occupées. Souvent les femmes-agents étaient affectées au centre de communication et ne pouvaient pas facilement se libérer si on les réclamait ailleurs. Enfin, les femmes en patrouille automobile ont observé que les répartiteurs [qui désignent les voitures devant répondre aux appels] les « oubliaient » souvent ; on ne savait donc pas où elles se trouvaient, ni ce qu'elles faisaient. Cette situation décourageait évidemment les

---

8. Dans plusieurs pays, dont les États-Unis, les femmes contestent également le système de préférence aux vétérans de l'armée pour certains postes (Breece et Garrett, 1977).

femmes : elles n'avaient pas l'impression d'être prises au sérieux. De plus, vu leur manque d'expérience, il leur était difficile de se révéler d'une très grande efficacité lorsqu'on faisait bel et bien appel à leurs services. (Linden et Minch, 1984, p. 15.)

Il faut dire que, dans les années 1970, plusieurs partisans de l'entrée des femmes dans la police, dont une grande partie des policières œuvrant avant les années 1970 dans des bureaux spécialisés, valorisent cette ségrégation, en reprenant à leur compte le discours militant des femmes dans la police au cours des années 1920. Leur argument central est que comme il y a de plus en plus de tâches « féminines » dans la fonction policière des années 1970, il est grand temps qu'on les confie aux femmes, « naturellement » plus expertes en ces matières. L'enjeu de leurs revendications, en écho aux discours des femmes du début du siècle, est de faire reconnaître l'importance égale des fonctions policières féminines et masculines (Ghosh, 1981). L'autobiographie de Hays (1992), policière qui vécut ce passage des années 1970, témoigne de cette perspective. Ce discours en faveur d'une ségrégation sexuelle des tâches renforce bien sûr la résistance des organisations policières à l'intégration pleine et entière des femmes.

Pour réduire cette ségrégation, les premières policières devront subir une multitude d'évaluations de leur capacité à accomplir les tâches « masculines » de la profession[9].

Les policières sont-elles de bons policiers ?

Voyons le contenu des études qui ont évalué ces premières policières, telles que compilées et analysées par Heidensohn (1992),

---

9. On retrouve la même réaction à l'arrivée des femmes aux fonctions de combat dans l'armée (Becraft, 1992 ; Morgan, 1994 ; Smith et McAllister, 1991) et en tant que gardiennes dans les prisons (Jurik, 1985).

Linden et Minch (1984), Linden et Fillmore (1993), Lunneborg (1989) Morash et Greene (1986) et Seagrave (1995).
— Les policières sont-elles aussi braves que les policiers?
Une bonne partie de ces études ont évalué la capacité des femmes à faire face à des citoyens violents ou en colère pour vérifier qu'elles ne paniquaient pas, qu'elles n'appelaient pas inutilement à l'aide d'autres patrouilleurs, qu'elles conservaient la situation bien en main. Les résultats de ces études indiquent que les policières furent aussi performantes que leurs collègues masculins et, dans plusieurs études, furent jugées plus aptes à désamorcer les situations explosives. Quant à leurs capacités d'intervention sur des activités criminelles violentes en cours, la rareté de ces situations n'a permis de recueillir que peu de données adéquates. Une étude a tout de même vérifié leur capacité à supporter la vue de blessés graves lors d'accidents. Les femmes ont bien supporté...
— Les policières font-elles autant d'arrestations que les policiers?
En général, elles font un peu moins d'arrestations qu'eux, mais elles donnent autant de contraventions.
— Les policières sont-elles aussi habiles pour tirer que les policiers?
Non seulement a-t-on constaté qu'elles tiraient aussi bien que les policiers, mais des policières ont remporté des championnats de tir.
— Les policières conduisent-elles aussi bien que les policiers?
Leur taux d'accidents n'est pas plus élevé que celui des policiers.
— Les policières ont-elles une scolarité aussi performante que celle des policiers?
Les résultats scolaires des femmes à l'école de police sont comparables à ceux des hommes.

— Le public accepte-t-il aussi bien les policières que les policiers ?
Oui, c'est un constat unanime de toutes les études[10].

— Les policières ont-elles un taux d'absentéisme plus grand que les hommes ?
Elles prennent un peu plus de congés que les hommes. La conciliation travail-famille explique ce plus haut taux d'absentéisme.

Les policiers sont-ils de bons policiers ?

Nombreux sont ceux qui s'appuient sur ces évaluations conduites dans les années 1970 pour dire que les femmes sont aptes à être policières. C'est aberrant.

Tout d'abord, la vérification de leurs capacités, comme elle a été faite dans ces études, relève d'une logique sexiste. Pourquoi les femmes, qui ont reçu la même formation que les hommes, ne seraient pas aptes à faire des arrestations, à tirer, à conduire un véhicule sans accident, à voir des blessés ? Pourquoi n'auraient-elles pas réussi leurs études aussi bien que les hommes ? Il fallait partir du présupposé que les femmes sont moins intelligentes. Si toutes ces études avaient été conduites sur une minorité racialisée, des foules seraient montées aux barricades, criant au racisme. Mais pour les femmes, aucune protestation. De plus, vérifier leur taux d'absentéisme, c'est vérifier que leurs obligations familiales ne vont pas perturber leur disponibilité au travail, comme si les hommes n'avaient pas d'obligations familiales[11].

---

10. À l'exception de certains hommes de minorités ethniques qui « traitent les policières avec moins de respect que les policiers. Cette situation serait attribuable aux croyances culturelles de ces groupes au sujet du rôle de la femme dans leur société. » (Walker, 1993, p. XXIII.)

11. Nous reviendrons sur ce point au chapitre VI.

Ensuite, ces études n'ont rien d'une validation de leurs performances dans la profession. Vérifier que les policières ne sont pas peureuses, qu'elles ont l'agressivité suffisante pour faire des arrestations, qu'elles ont les habiletés nécessaires pour tirer et pour conduire un véhicule sans causer d'accident, c'est mesurer leur capacité à effectuer les tâches jugées comme masculines dans la profession, là où on ne les veut pas. Pourtant, ces tâches ne constituent qu'une petite partie du travail policier. Pourquoi ne mesure-t-on pas leurs capacités à résoudre sans violence des conflits, à communiquer, à sécuriser, etc.? Après tout, 80 % à 85 % des tâches de cette profession n'ont rien à voir avec le contrôle répressif des activités criminelles, mais consistent en interventions de maintien de la paix et d'assistance publique. Ces tâches ne furent pas évaluées parce qu'elles étaient jugées « féminines » et que la compétence des femmes à entrer dans la profession policière était d'abord mise en doute au regard des stéréotypes masculins rattachés à la profession. Leur capacité présumée dans les autres tâches relève bien sûr également de stéréotypes rattachés aux attributs d'une « nature » féminine (Larrow et Wiener, 1992). Vérifier leur acceptation par le public relève de la même logique; c'est la recherche d'un argument par les milieux policiers pour ne pas les faire patrouiller (Coffey et autres, 1992; Lebeuf, 1996).

Enfin, dans ces études, on utilise des mesures quantitatives d'évaluation du travail des femmes (nombre d'arrestations, de contraventions), remises en question par de multiples recherches à la même époque. Ces recherches démontrent en effet que ces évaluations ne peuvent mesurer l'efficacité du travail policier, car ces types d'interventions ne constituent qu'une petite partie de ce travail. Ce type d'évaluations néglige également de situer les interventions de répression au regard d'autres types d'interventions moins répressifs pouvant se révéler plus adéquats pour solutionner un conflit, ce qui en dévalorise l'usage (Engstad et

Lioy, 1978 ; Fijnaut et autres, 1987 ; Grant, 1981 ; MacDonald et autres, 1985 ; Murphy et Muir, 1985 ; van Wormer, 1981).
En fait,

> [...] une grande partie de la recherche sur les policières porte sur la manière dont les femmes doivent composer avec la masculinité de la profession, bien davantage qu'avec les exigences profession-nelles elles-mêmes. (Heidensohn, 1992, p. 84. Notre traduction.)

Ainsi, ce sont par des pressions juridiques, politiques et des batailles judiciaires que les femmes ont fait reconnaître leur droit d'entrer dans l'ensemble des fonctions de la police. Et c'est en subissant des évaluations sexistes et de faible validité de leur capacité à effectuer les tâches jugées « masculines » de la profes-sion qu'elles ont diminué la ségrégation des tâches sur le terrain.

Cette entrée « forcée » des femmes dans l'entièreté des tâches policières aura un prix : elle n'a pas modifié la raison première de la résistance à leur entrée dans la profession, elle l'a même renforcée. Les femmes représentent une menace à l'image même de la profes-sion, à la culture masculine de travail (Linden et Fillmore, 1993).

CHAPITRE II

Une culture masculine de travail

« Maman, en dehors de faire pipi debout, que font les gars que les filles ne font pas ? » (Adam, 3 ans)

Dire qu'une culture de travail est sexuée signifie que les pratiques et les normes mêmes qui encadrent ces pratiques ne peuvent se comprendre que dans la distinction entre ce qui est jugé féminin et masculin.

Arkkelin et O'Connor (1992) ont constaté que plus une profession est typée masculine ou féminine, plus les recrues jugées idéales sont celles qui répondent aux stéréotypes conformes au caractère sexué de la profession, et ce, particulièrement dans les professions de type masculin. Les recrues atypiques au regard du caractère sexué de la profession doivent également prouver davantage leur aptitude à faire ce travail, particulièrement dans les tâches typées « masculines » (Glick, 1991 ; Robinson et McIlwee, 1991 ; Weston, 1990).

Les études sociologiques indiquent également que les professions et fonctions typées masculines sont associées à de hauts niveaux de compétence, à la capacité d'affirmation, aux habiletés de gestionnaire et à la compétence technologique. Les professions et fonctions typées féminines, quant à elles, sont associées à la capacité de donner des soins, aux habiletés de secrétariat, à la capacité de servir, à la douceur et aux émotions[12] (Berg, 1992).

Lorsqu'une profession est typée masculine, cela signifie que la pratique même du métier est une preuve de masculinité[13]. C'est le cas du métier de policier dans ses fonctions de répression. Le vocabulaire du milieu de travail en témoigne. Au bas de l'échelle, il y a tout le travail de bureau, de prévention et communautaire, perçu comme plus féminin, et au haut de l'échelle, perçu comme plus masculin, il y a le travail lié à la répression des activités criminelles, là où on fait de la « vraie » police, le sommet étant les escouades spécialisées (Hunt, 1990).

L'entrée des femmes dans l'entièreté des tâches policières vient menacer ces lieux d'affirmation masculine, et ce, avec d'autant plus de force que cette affirmation est vécue avec peu d'extériorité en milieu policier. C'est que la structure des relations de travail dans cette profession est dominée par le concept de carrière intégrale, surtout en milieu non syndiqué, comme à la GRC (Dowling et MacDonald, 1983 ; French et Béliveau, 1979 ; Reiner, 1992). Le concept de carrière intégrale signifie que s'engager dans cette profession est une vocation qui exclut toutes les autres et oriente même le mode de vie ; on est policier 24 heures sur 24. On ne travaille pas dans la police, on entre dans la police. On fait partie d'un groupe dont la solidarité et l'esprit de corps renforcent la distance avec la communauté (McLean, 1997 ; Monjardet, 1994 ; Perrot et Taylor, 1994 ; Reiner, 1992 ; Mouhanna, 2007).

---

12. D'ailleurs, l'échelle comparative des salaires entre les hommes et les femmes au Canada indique que cette perception sexiste se traduit par des salaires plus bas dans les professions en majorité composées par un personnel féminin (Poff, 1990).

13. Pour des études sur la culture masculine des organisations, voir Acker, 1990 ; Hearn et autres, 1989 ; Martin, 1992 ; Miller-Lœssi, 1992 ; Mills et Tancred, 1992 ; Savage et Witz, 1992 ; Witz, 1990, 1992.

Cette solidarité est si forte que l'on fait référence à la police comme à une entité avec des intentions et des caractéristiques personnelles à laquelle on voue une allégeance professionnelle (Fielding, 1994).

Voyons comment les policières, qu'elles le veuillent ou non, viennent menacer cette affirmation masculine dans la profession.

Du « vrai » homme au « vrai » policier

Les études en psychologie ont bien montré, ces dernières années, comment la construction de l'identité masculine traditionnelle est basée essentiellement sur des préjugés entre les sexes affirmant la supériorité masculine (Kain, 1990). Voici un exemple de ces stéréotypes attribués aux « personnalités » féminine et masculine.

STÉRÉOTYPES DE LA PERSONNALITÉ MASCULINE ET FÉMININE BASÉS SUR L'INÉGALITÉ ENTRE LES SEXES (BREAKWELL, 1990, p. 213.)

FEMMES	HOMMES
Peu agressives	Agressifs
Dépendantes	Indépendants
Soumises	Dominants
Peu compétitives	Compétitifs
Passives	Actifs
Difficulté à prendre des décisions	Prennent des décisions aisément
Peu ambitieuse	Ambitieux
Diplomates	Directs
Tranquilles	Présence forte
Attentives aux sentiments des autres	Peu attentifs aux sentiments des autres
Grand besoin de sécurité	Peu anxieux
Aisance à exprimer des sentiments	Expression difficile des sentiments de tendresse

L'affirmation masculine basée sur des rapports de pouvoir sexistes signifie qu'être un homme repose davantage sur la preuve que l'on n'est pas une femme plutôt que sur une affirmation de soi par des qualités positives. Dans ce type d'affirmation masculine, l'homme doit continuellement « prouver » aux autres hommes qu'il est un « vrai » homme, en montrant clairement qu'il n'a pas de traits féminins, d'où la phobie d'être accusé d'homosexualité.

Ce type d'affirmation masculine se bâtit dès l'enfance. Pas besoin de beaucoup de mots pour que le petit garçon ressente la déception de son père lorsqu'il pleure (comme une fille), lorsqu'il a peur (comme une fille), lorsqu'il est dépendant (comme une fille), etc. Pas besoin d'expliquer par des mots que les petits garçons se diminuent en adoptant des traits de personnalité dits féminins, lorsqu'on leur transmet que l'homosexualité est cette horreur d'un homme qui ne respecte plus l'identité masculine de puissance, de force et de virilité. En somme, les rapports de pouvoir sexistes sont inscrits dans le vocabulaire, les codes et certains rituels d'apprentissage de l'identité sexuelle, où l'on apprend aux hommes qu'ils se diminuent en adoptant des comportements féminins (McCreary, 1994).

Et la petite fille qui a une affirmation trop importante de son caractère et de ses capacités physiques par rapport aux stéréotypes féminins ? C'est un garçon… manqué.

À l'âge adulte, la femme persiste à être la norme négative de cette affirmation d'identité masculine : être un homme, c'est ne pas être faible (comme une femme), peureux (comme une femme), trop émotif (comme une femme), etc. Et pour prouver aux autres hommes, juges de cette masculinité, que l'on est un « vrai » homme, il faut ainsi étaler sa force, sa bravoure, ses prouesses sexuelles, afficher son mépris des homosexuels, etc. (Kimmel, 1994 ; Hort et autres, 1990 ; Rotundo, 1993).

C'est dans cette construction sexiste de l'identité sexuelle qu'il faut comprendre que, dans une profession typée masculine, il y a les tâches « viriles », valorisées, et les autres tâches, moins importantes pour définir la profession ; et la femme qui réussit à s'affirmer dans les tâches « viriles » vient menacer des lieux d'affirmation de la masculinité[14] (Cockburn, 1991 ; Collinson, 1992). À la police de Victoria, par exemple, en 1992,

> [...] les policières se rencontrent en majorité dans les tâches reliées aux interventions sociales et familiales, de même qu'affectées aux tâches administratives. Les policières sont également en majorité dans les équipes de police communautaire, et elles sont absentes ou quasi absentes des équipes considérées comme faisant de la « vraie » police, tels le bureau d'enquête criminelle, l'escouade des homicides, le groupe des opérations spéciales et les escouades de recherche et de sauvetage. Ce n'est pas un hasard si les escouades qui excluent les femmes sont perçues comme l'élite de la police. L'escouade des homicides, qui n'a jamais eu de policières dans ses rangs, est considérée [comme] « l'élite de l'élite » en milieu policier. Les membres du groupe des opérations spéciales, tous des policiers, sont surnommés les « fils de Dieu ». Une dénomination qui rappelle que cette escouade est composée de l'élite, et pour hommes seulement. (McCulloch et Schetzer, 1993, p. 2. Notre traduction.)

On comprend mieux alors que la première génération de policières, objet de dizaines d'évaluations pour vérifier ses capacités à

---

14. Il va sans dire que les policiers homosexuels cachent le plus possible leur orientation pour éviter la discrimination. Les associations de policiers homosexuels se réunissent dans la plus grande clandestinité (Burke, 1992, 1994a et b ; Forcese, 1999 ; Leinen, 1993 ; Wolinsky et Sherrill, 1993 ; Woods et Lucas, 1993). Au Canada, il y a à Toronto un groupe de soutien pour les policiers homosexuels : « L'Association des policiers homosexuels fut créée en 1989 par des policiers qui vivaient du harcèlement et de la discrimination. En 1995, environ 40 policiers un peu partout au Canada sont allés chercher du soutien dans ce groupe. » (Seagrave, 1997, p. 99. Notre traduction.) Au Service de police de la ville de Montréal (SPVM), il existe également, dans le cadre du programme Policier-ressources créé par des policiers, la possibilité pour des policiers gais d'échanger confidentiellement avec d'autres policiers sur la question.

occuper les fonctions « masculines » de la profession, malgré l'évaluation positive de ses compétences, n'ait pas de ce fait été acceptée[15].

De même, les modifications des critères de sélection et de
certaines pratiques de travail attachées à l'entrée de ces pionnières
dans la profession demeurent perçues par de nombreux policiers
comme une « diminution des exigences nécessaires à la profession », plutôt que comme une remise en question d'exigences dont
l'inutilité dans l'accomplissement du travail policier a été démon-
trée (Breece et Garrett, 1977).

Enfin, chez nombre de policiers, le port de l'arme à feu et une
mythique dangerosité font foi de l'importance de leur profession, et
l'arrestation constitue la preuve de leur action (Dubé et Beauchesne,
1993 ; Parent, 1993). Le port même de l'arme est sexué. Si l'homme
qui porte une arme ajoute un trait à sa virilité (Dubé et Beauchesne,
1993), la femme qui porte une arme est « dénaturée » au regard des
stéréotypes de féminité (Branscombe et Owen, 1991). Elle doit
vraiment faire la preuve de sa compétence en la matière. Et si
elle réussit à faire cette preuve, elle devient une menace à un lieu
d'affirmation masculine dans la profession.

Le mythe de la dangerosité et le port de l'arme à feu

Les séries télévisées, tout comme les polars et les nouvelles policières rapportées dans les médias, maintiennent ce mythe de la
dangerosité (Farrell, 1992 ; Forcese, 1999 ; Philippe, 1992 ; Spark,
1990). Cette image du policier affrontant d'horribles criminels au
risque de sa peau est très rentable, car elle se vend bien à un public

---

15. On retrouve la même réaction avec l'arrivée des femmes aux fonctions de combat
dans l'armée (Becraft, 1992 ; Morgan, 1994 ; Smith et McAllister, 1991).

friand de nouvelles à sensations et de héros les protégeant contre les « méchants » (Parent, 1987).

Les associations de policiers et les syndicats profitent également de cette image mythique de leur travail où le danger est omniprésent, car cela justifie certaines compensations monétaires et demandes de ressources (Ericson et autres, 1989 ; Reiner, 1992, 1994).

Pourtant, les risques d'accidents mortels sont moins nombreux dans la fonction policière que dans bien d'autres métiers. Les statistiques canadiennes de 1961 à 1973 indiquent qu'au Canada, le taux annuel de mortalité au travail par 100 000 habitants, selon les professions, se présente comme suit : en premier lieu et de loin viennent les mineurs (137,72), ensuite les employés de transport et de services connexes (37,24), les travailleurs de la construction (31,70) et les policiers (10,50) (Parent, 1993, p. 55). Cela ne signifie pas qu'il y a dix policiers victimes d'homicides par année, car les accidents sont inclus dans ces statistiques. En fait, il y a environ trois policiers victimes d'homicides par année au pays. Il ne s'agit pas ici de minimiser ces homicides, mais simplement de placer le danger de cette profession dans une perspective plus large.

De même, les statistiques de la Commission de la santé et de la sécurité du travail du Québec indiquent que les blessures subies au cours d'agressions ne font pas partie des causes usuelles de blessures professionnelles chez les policiers. Celles-ci sont, dans l'ordre :

> [...] les accidents de la circulation, les conditions climatiques (engelures, coups de chaleur, etc.), les accidents dus aux armes utilisées (**au cours de l'entraînement ou du nettoyage**), substances chimiques dangereuses, stress et fatigue physique, piqûres d'insectes, morsures d'animaux et « chocs électriques ». (Parent, 1993, p. 53. Nous soulignons.)

Mais l'image de dangerosité attachée à cette profession est amplifiée par plusieurs canaux, ce qui contribue au maintien du port de l'arme de service pour tous les policiers, et ce, quelles que soient leurs fonctions, car ce port de l'arme demeure un symbole important de la profession. Les policiers refusent ainsi d'envisager un désarmement quelconque, même s'ils ne sont pas affectés à la répression d'activités criminelles. Ils tiennent beaucoup à l'image militaire de leur fonction liée au port de l'arme à feu, et au pouvoir symbolique que cela leur donne même si elle n'est à peu près pas utilisée (Dubé et Beauchesne, 1993).

McConville et Shepherd (1992) qualifient cette culture de travail qui privilégie l'action jumelée à l'attrait du danger et de l'inconnu de *blue light syndrome,* dont le point culminant est l'arrestation, et le symbole, l'arme à feu.

Au regard de tout ce qui renforce cette image professionnelle fondée sur une culture masculine valorisant la répression, il est d'autant plus difficile pour les femmes de s'y insérer. Pourtant, leurs motivations à entrer dans la police ne diffèrent pas de celles de leurs collègues masculins et, généralement, elles n'entrent pas dans la police pour la changer.

CHAPITRE III

L'entrée dans la police

Je ne me suis pas battue pour modifier des statistiques, je me suis affirmée et j'ai gagné mes galons. C'est plus le défi que le titre qui m'intéresse. Je vais continuer de défier les stéréotypes reliés à mon sexe parce que je suis un modèle qui représente la réalité des femmes de l'avenir et parce que j'en suis fière. [...] Je ne me suis pas associée à des causes féministes, mais par mes actions, je crois avoir contribué à ma manière à faire avancer la cause des femmes. (Julie Cloutier, capitaine, Service de police de Québec, 1999, p. 71.)

Les femmes choisissent un métier ou une profession selon leur motivation (liée, bien sûr, à leur socialisation) et leurs possibilités d'y accéder (Jacobs, 1989 ; Unger et Crawford, 1992). Ainsi, les femmes choisissent d'entrer dans la police parce qu'elles veulent y faire carrière et non parce qu'elles ont décidé d'investir cette profession pour la changer. Les programmes d'équité en emploi et leur mise en œuvre pour éliminer la discrimination dans les modes de recrutement, les critères de sélection et les exigences de formation en vue d'augmenter l'accessibilité des femmes à cette profession sont alors de première importance.

Motivations à devenir policières

La socialisation et les possibilités d'accéder à l'emploi désiré sont prioritaires dans le choix d'une carrière, et ce, tant chez les hommes que chez les femmes. La thèse voulant que les femmes choisiraient pour la plupart de travailler dans un secteur majoritairement féminin pour mieux répondre à leurs obligations familiales est fausse, en tout cas lorsqu'elles travaillent plus de trente heures par semaine (Glass et Camarigg, 1992). De toute manière, la prémisse de cette thèse est sans fondement : les secteurs d'emploi majoritairement féminins ne bénéficient pas de conditions de travail facilitant de manière particulière la capacité d'assumer les obligations familiales (Glass, 1990).

Est-ce à dire que les femmes décident d'entrer dans des secteurs d'emploi traditionnellement masculins sans se rendre compte de la transgression sociale qu'elles font et des difficultés d'intégration dans ces milieux ?

Les enquêtes indiquent que pour nombre d'entre elles, c'est en effet le cas. Elles supportent alors plus difficilement la découverte de ces difficultés. D'autres, au contraire, sont conscientes du défi que cela représente. Mais ces dernières, pour la plupart, croient qu'avec une bonne scolarité et une bonne planification de leurs projets familiaux et de carrière, elles offriront des performances adéquates et que les difficultés seront aplanies (Daune-Richard et Devreux, 1992 ; Unger et Crawford, 1992). En conséquence, les femmes qui choisissent d'aller dans des professions traditionnellement masculines, au regard de celles qui choisissent des professions traditionnellement féminines, ont tendance à être plus carriéristes et à planifier plus d'études que n'en nécessite la profession désirée (Murrell et autres, 1991). Ainsi, la majorité des recrues féminines dans la police ont suivi des cours complémentaires à la formation minimale requise pour

entrer dans la profession (Jackson, 1997), et la majorité des policières canadiennes ont « un niveau de scolarité plus élevé que celui
des policiers, même lorsqu'on fait entrer en ligne de compte les
différences quant aux années de services » (Walker, 1993, p. XIII).

Même si la réalité des conditions de travail (et les hasards de
la vie) peut faire voler en éclats de manière dramatique cette « planification » de carrière trop souvent naïve au regard des résistances
qu'elles vont rencontrer, ces données indiquent tout de même que
nombre de policières se préparent à surmonter les défis de la profession parce que c'est la carrière qui les intéresse. D'ailleurs, les
études qui se sont penchées sur les motivations des femmes à entrer
dans la police en sont toutes arrivées au même constat : même si ces
motivations varient dans le temps, selon la perception projetée du
rôle de la police dans la société, il n'y a pas de différences significa-
tives entre les recrues masculines et féminines quant aux motivations premières à entrer dans la police. Ces recrues conçoivent de la
même manière leur rôle dans la police, leurs rapports avec les
citoyens ou encore leurs projets de carrière (Charles, 1982 ; Christie
1992 ; Ermer, 1978 ; Horne, 1980 ; Jones, 1986 ; Lebeuf, 1996 ;
Mengher et Yenter, 1986 ; Milton, 1974 ; Worden, 1993). De plus,
comme les hommes, de nombreuses femmes ont choisi d'entrer
dans la police parce que quelqu'un de la famille exerçait ce métier
(Forcese, 1999 ; Jackson, 1997 ; Jones, 1986).

On comprend mieux, dès lors, que les femmes n'entrent
pas dans la police avec l'intention, au départ, de modifier la culture masculine de travail ; elles comptent pouvoir s'y intégrer en
y mettant l'énergie et le travail nécessaires. Elles désirent, par ce
choix de carrière, acquérir la sécurité d'emploi et l'autonomie
professionnelle (Fielding, 1994 ; Lasley, 1992). Elles croient, en
majorité, que les femmes sont égales aux hommes et ont droit
aux mêmes chances qu'eux d'obtenir un emploi dans la police.
Mais elles acceptent, pour la plupart, les règles de la culture

organisationnelle, qu'elles croient nécessaires à la fonction, prêtes à jauger à l'aune de leur mérite individuel leur succès ou leur échec dans la profession. Pas étonnant, dans ce contexte, que ces recrues féminines de la police refusent pour la plupart l'étiquette de féministes[16], n'étant pas là pour changer la profession, mais pour s'y intégrer le mieux possible. Elles considèrent également comme naturel le fait que le double rôle travail-famille soit « affaire de femmes ». C'est à elles de faire en sorte, par une planification adéquate, de ne pas entraver leur productivité au travail pour des raisons « personnelles » (Belknap, 1991 ; Horne, 1980 ; Jackson, 1997 ; Martin, 1980). En cela, elles ne se distinguent pas vraiment de leurs contemporaines dans les autres professions (Bombardier, 1999).

Si les femmes et les hommes entrent dans la police à peu près pour les mêmes raisons, cela ne signifie toutefois pas que leurs attentes individuelles concernant le travail policier soient similaires. En fait, de manière générale, les valeurs privilégiées dans un emploi diffèrent chez les hommes et les femmes. Ces dernières accordent plus d'importance que les hommes au climat des relations de travail et à l'estime de leurs collègues et superviseurs. Les hommes accordent plus d'importance que les femmes au salaire, à leur statut dans l'emploi et au prestige que cet emploi leur donne dans la communauté (Elizur, 1994 ; Neil et Snizek, 1987 ; Unger et Crawford, 1992).

De ces différences découlent des insatisfactions et des sources de stress différentes au travail.

Lors de l'entrée en fonction, les recrues masculines vivent mieux que les femmes les relations de travail en milieu policier. Toutefois, ces nouveaux policiers vivent plus difficilement la

---

16. C'est le même constat chez les gardiennes de prison (Jurik, 1985 ; Zimmer 1986, 1989).

réalité des pratiques, bien différente des mythes populaires concernant la police. Ils ressentent également plus de stress lié à la perte de prestige de la profession, aux critiques contre les policiers et aux changements organisationnels en cours, liés aux coupes budgétaires et au « virage » communautaire.

À l'inverse, les nouvelles policières s'adaptent mieux à leur travail et aux changements en cours que les hommes, mais moins au milieu policier. Elles vivent plus de stress associé aux problèmes de climat de travail lors d'évaluations négatives de leur performance par leurs collègues ou superviseurs. S'ajoute à cela tout le stress lié à la difficile conciliation travail-famille (Brown et Campbell, 1994 ; Jackson, 1997 ; Kerr, 1999 ; Lebeuf, 1996, 1997 ; Norbell et autres, 1993 ; Oligny, 1990 ; Walker, 1993). D'ailleurs, ce sont ces éléments, et non les exigences du travail lui-même, qui amènent tant les femmes en général (Baber et Allen, 1992 ; Cormier, 1990) que les policières en particulier à quitter leur profession plus que les hommes (Brown et Campbell, 1994 ; Dubois, 1997 ; Jones, 1986 ; Seagrave, 1995 ; Walker, 1993). Dans ce contexte, les programmes d'équité en emploi se révèlent fort importants même si leur mise en œuvre laisse encore à désirer.

Les programmes d'équité en emploi

Plusieurs facteurs ont donné lieu à une multiplication des pressions politiques et juridiques afin d'accroître l'implantation de programmes d'équité en emploi en milieu policier : le programme fédéral issu de la loi C-62 sur l'équité en matière d'emploi en 1986 (Cormier, 1990 ; Marsden, 1993), la mise sur pied de plusieurs programmes provinciaux d'équité en emploi, le succès de poursuites judiciaires en matière de discrimination à l'emploi, tant aux

États-Unis qu'au Canada (Anderson, 1991 ; Sagatun, 1990), et, plus spécifiquement, en milieu policier (aux États-Unis, voir Palombo, 1992), sans oublier quelques scandales médiatiques mettant à jour des pratiques discriminatoires sexistes chez certains corps policiers (Nelson, 1992).

Toutefois, les programmes canadiens d'équité en emploi[17] n'ont pas suivi la tendance américaine, soit celle de se traduire en programmes d'affirmation positive assortis de quotas (Samuel et Suriya, 1993 ; Bégin, 1998). Au lieu de se mesurer à l'aune de quotas d'embauche à atteindre, les programmes canadiens d'équité en emploi visent, dans leurs principes, à identifier et à réduire les pratiques discriminatoires dans l'ensemble des pratiques organisationnelles (sélection, formation, promotion, politique familiale, politique de harcèlement sexuel et racial, etc.). De plus, en matière d'embauche, on cherche à s'assurer d'un recrutement plus actif des groupes visés par ces programmes pour corriger les inégalités passées (Cormier, 1990 ; Legault, 1991 ; Marsden, 1993).

Malgré cette différence avec les tendances américaines, les programmes d'équité en emploi demeurent perçus, en milieu policier, comme des obligations de quotas à atteindre à tout prix à la suite de pressions politiques. Cette situation, selon eux, expliquerait la modification des critères de sélection amenée par les femmes, modification qui se ferait au détriment des compétences nécessaires à la profession (Crosby et Clayton, 1990 ; Eberhardt et Fiske, 1994 ; Jacob, 1995 ; Jain, 1994 ; Major et autres, 1994 ;

---

17. « L'équité en matière d'emploi est le terme créé par la juge Rosalie Silberman Abella, présidente de la Commission royale sur l'équité en matière d'emploi de 1984, pour désigner la méthode canadienne de mise en œuvre de l'égalité complète en matière d'emploi. Ce terme visait à distinguer cette méthode de l'"action positive", qui est surtout une notion américaine, et des mesures d'"égalité des chances" qu'on appliquait au Canada à cette époque. » (Ressources humaines et développement social Canada, 2003.)

Walker, 1992 ; Walker, 1993). Les policières doivent alors prouver leur compétence à chaque nouvelle étape de leur carrière, non seulement parce qu'elles sont des femmes, mais aussi parce qu'on attribue faussement leur embauche à de moins grandes exigences professionnelles (Heidensohn, 1992 ; Trostle, 1992). Cette situation incite plusieurs policières à demander l'abolition de ces programmes d'équité qui minent leur crédibilité professionnelle (Dubois, 1997).

Un autre élément leur fait rejeter ces programmes d'équité, même si elles croient que les femmes devraient avoir un égal accès à cette profession et qu'il y a effectivement discrimination dans ce milieu de travail : leur socialisation dans une idéologie où le mérite individuel explique le succès, où apparaît contraire à la « justice naturelle » un traitement perçu comme préférentiel (Abel, 1987 ; Crosby, 1994 ; Matheson et autres, 1994). Les débats dans les causes judiciaires en matière d'équité d'embauche reflètent la difficulté de concilier cette idéologie avec les fondements des programmes d'équité, particulièrement dans les pays où il y a une recherche de quotas (Felkenes, 1992a et b ; Palombo, 1992a ; Roberg et Kuyhendall, 1993 ; Trostle, 1992 ; Walker, 1992).

Ainsi, pour éviter que les policières ne subissent un ressac lié à leur embauche dans le cadre des programmes d'équité, les gestionnaires de la police et les associations syndicales ont un rôle à jouer afin que le fonctionnement de ces programmes soit compris (Byers, 1997). D'une part, ils doivent diffuser largement que les critères d'embauche qui furent modifiés sont ceux qui ne sont pas liés aux nécessités de l'emploi, d'où leur caractère discriminatoire (Walker, 1993). D'autre part, cela signifie que l'on cesse, comme à l'heure actuelle, de modifier certains critères uniquement pour les femmes, parce qu'ils furent jugés inutiles pour la profession, préservant ainsi la perception que les femmes ont des compétences moindres. Comme l'implantation des programmes d'équité signifie non pas un abaissement des standards professionnels de la police pour permettre l'embauche des femmes, mais l'élimination de barrières discriminatoires à l'embauche au regard des compétences nécessaires à la profession, les critères d'embauche pour les hommes et les femmes devraient être les mêmes. Tant que cela ne sera pas le cas, nombre de policiers continueront de croire à la moindre crédibilité professionnelle des policières, et celles-ci en paieront le prix (Hill, 1991 ; Hooper, 1992 ; Jain, 1994 ; Martin, 1991 ; McKenzie, 1993 ; McLean, 1997 ; Palombo, 1992b ; Roberg et Kuyhendall, 1993 ; Trostle, 1992)[18]. Mais les organisations policières et syndicales sont-elles prêtes à modifier ces critères pour l'ensemble des policiers, particulièrement les exigences physiques[19], remettant ainsi l'image professionnelle en question ?

En plus de reposer sur la perception que les policières sont embauchées grâce à une réduction des critères d'embauche, les résistances des policiers à l'égard des programmes d'équité s'expliquent par l'anticipation des conséquences négatives de l'implantation de ces programmes sur la profession (Crosby, 1994).

Ainsi, la seconde résistance provient du fait que ces programmes représentent un dénigrement de leur profession en soulignant son caractère discriminatoire. L'argument des policiers qui refusent d'accepter cette réalité de leur profession est d'attribuer le petit nombre de femmes dans la police à leur incapacité « naturelle » à occuper cet emploi.

---

18. Les policières de groupes minoritaires vivent encore plus durement la situation actuelle en matière d'embauche, étant perçues comme des possibilités de cocher deux cases dans les statistiques d'embauche des groupes cibles plutôt qu'une seule (Suriya, 1993). L'isolement de ces policières est d'autant plus grand qu'en ce qui concerne la discrimination raciale, elles ne bénéficient pas nécessairement de la solidarité des femmes blanches, et en ce qui concerne la discrimination sexiste, elles ne bénéficient pas de celle des hommes de groupes minoritaires (Felkenes et Schrœdel, 1993 ; Martin, 1994 ; Palombo, 1992b). Leur taux d'attrition plus élevé que chez les policières blanches en témoigne (Felkenes et Schrœdel, 1993 ; Palombo, 1992b).

19. Nous y reviendrons un peu plus loin dans ce chapitre.

La troisième résistance des policiers provient du fait que l'on voit les femmes « voler » des emplois aux hommes et menacer leur plan de carrière en accaparant « injustement » des promotions qui leur auraient été données, n'eût été de la présence des programmes d'équité.

La quatrième résistance est liée à la mise en œuvre de ces programmes qui modifient non seulement les règles d'entrée dans la profession, mais également certaines pratiques de travail, remettant en question des façons traditionnelles de fonctionner[20].

Le manque de formation des cadres policiers sur le rôle des programmes d'équité les rend peu aptes à vaincre ces résistances. Cela entretient le sentiment vécu par nombre de policiers que les femmes dans la police ont non seulement envahi un territoire masculin, mais qu'elles se montrent incapables de s'y adapter (Groupe d'étude sur les relations entre la police et les minorités raciales, 1992 ; Normandeau et Leighton, 1992).

Qu'en est-il de l'efficacité réelle de ces programmes d'équité pour améliorer l'accès des femmes à la profession policière ? Il y a eu du progrès : les procédures de sélection sont maintenant plus formelles et certaines exigences discriminatoires furent éliminées (Crosby et Clayton, 1990). Mais il reste encore du travail à faire. Les programmes d'équité en emploi se réduisent le plus souvent à des politiques générales d'embauche préférentielle, sans être concrètement inscrits dans une approche organisationnelle active pour en assurer la légitimité et le succès. Leur implantation valse alors au gré des aléas politiques, administratifs et budgétaires (Felkenes, Peretz et Schrœdel, 1993 ; Lebeuf, 1997, 1999 ; Legault, 1991 ; Nelson, 1992).

---

20. On constate les mêmes résistances en milieu correctionnel (Jamieson et autres, 1990 ; Zimmer, 1986 et 1989).

Aléas politiques

La pression politique pour l'embauche des groupes discriminés (femmes, minorités ethniques, handicapé(e)s, autochtones) est plus forte envers certains groupes cibles lorsqu'une situation a prêté le flanc au scandale dans les médias et que l'on veut montrer qu'elle est en voie d'être corrigée. Par exemple, il est clair que les minorités racialisées et les autochtones sont les groupes qui, ces dernières années, retiennent le plus l'attention politique au Canada.

Aléas administratifs

Les syndicats peuvent diminuer la force des programmes d'équité dans le cadre de négociations afin de protéger des privilèges « acquis », et ce, surtout en périodes de coupes budgétaires, où le salaire et les avantages sociaux peuvent plus difficilement augmenter (Marsden, 1993). Il y a également les petits corps policiers (moins de 200 employés) qui, avec leur tendance à embaucher d'anciens policiers, maintiennent une faible représentation des femmes dans leur personnel (McCullock et Schetzer, 1993 ; Nelson, 1992).

Aléas budgétaires

Les programmes d'équité, sans politiques précises permettant de réduire ou d'abolir les pratiques discriminatoires dans l'organisation, sont particulièrement vulnérables aux compressions (Martin, 1991).

Examinons maintenant plus en détail l'état actuel des conditions d'accessibilité des femmes dans la police.

Le recrutement

Les corps policiers canadiens n'ont aucune difficulté à susciter des candidatures[21]. Le travail de policier est relativement bien payé, avec de bons avantages sociaux. De plus, chez de nombreux jeunes, la carrière policière demeure prestigieuse. La clientèle des recrues en témoigne. Elle était autrefois essentiellement ouvrière et, pour une grande partie des recrues, ce choix de carrière relevait d'une tradition familiale. Aujourd'hui, un plus grand nombre de jeunes de classe moyenne désirent entrer dans la police, et la scolarisation de ces postulants est de plus en plus élevée (Dantzker et Mitchell, 1998 ; Forcese, 1999).

Malgré cela — et les pressions juridiques et politiques qui ont forcé l'entrée des femmes dans l'entièreté des fonctions policières, dans les années 1970 —, l'accroissement du nombre de femmes dans la police s'est fait au compte-gouttes au cours des premières années. Ce n'est qu'à la fin des années 1990, en fait, que leur entrée dans la police a connu un certain essor. Elles constituaient 18,5 % du personnel policier canadien en 2008 (voir Annexe II A et B). Leur embauche est d'autant plus facilitée, ces dernières années, qu'il faut pallier les retraites massives dans la police.

Les politiques de recrutement, même si elles se sont améliorées, présentent toujours les difficultés liées à la structure d'embauche paramilitaire où tous les policiers doivent suivre le même chemin dans l'échelle hiérarchique. Cette structure rend difficile la mise en place de mesures novatrices comme le recrutement direct et latéral selon les compétences pour un emploi disponible. La collaboration des syndicats à ces mesures n'est pas très grande, préoccupés qu'ils sont de préserver les acquis (Forcese, 1999 ; Groupe d'étude sur les

---

21. Quoique les retraites massives des prochaines années causeront certains problèmes de recrutement.

relations entre la police et les minorités raciales, 1992 ; Jackson, 1992 ; Jones, 1986 ; Marsden, 1993 ; Martin, 1991 ; Walker, 1993).

La sélection

Les critères de sélection pour entrer dans la police furent le premier champ de bataille des femmes pour éviter d'être exclues. Ce n'est qu'en 1986, par exemple, que le gouvernement du Québec a aboli les critères de taille et de poids prévus dans le *Règlement sur les normes d'embauche des agents et cadets de la Sûreté du Québec et des corps de police municipaux*. L'importance très grande accordée à la taille, au poids et aux habiletés physiques mesurant la force musculaire est-elle maintenant chose du passé, au profit de compétences plus pertinentes à la profession ?

Si la discrimination fondée sur la taille et le poids est pratiquement abolie dans tous les corps policiers, on ne peut en dire autant des tests liés aux aptitudes physiques et de l'entrevue. Pour situer ces tests dans le processus de sélection, en voici les principales étapes (Coutts, 1990 ; Forcese, 1999) :

1. Si l'on remplit certaines exigences de base (être citoyen canadien ou résident permanent du Canada, avoir 21 ans ou plus, n'avoir aucun dossier criminel [à moins d'un pardon] ou aucune accusation en attente d'un procès, avoir un diplôme d'études secondaires ou l'équivalent, un permis de conduire valide sans plus de 6 points de démérite, une vision adéquate), on peut remplir le formulaire de demande d'emploi.
2. Le (la) candidat(e) est invité(e) à une journée de tests où seront mesurés ses aptitudes physiques, ses aptitudes générales, sa capacité d'expression (examens écrits, essais) et son profil psychologique (tests).
3. La personne est reçue en entrevue.

4. Si les résultats de l'entrevue sont jugés satisfaisants, on véri-
fiera les antécédents et les répondants que la personne aura
identifiés.

5. Si les résultats de cette enquête sont positifs, la personne sera
invitée à une autre entrevue, avec un(e) psychologue, à partir
des résultats des tests passés à la seconde étape.

6. La personne passera ensuite — c'est la dernière étape —
un examen médical complet.

Les tests d'aptitudes physiques

Même si quelques services de police ont modifié l'ordre d'application de certains critères de sélection, de sorte que les exigences
médicales et physiques sont déterminées après l'offre d'emploi
(Walker, 1993, p. 24), les résultats aux tests d'aptitudes physiques
conservent encore un caractère éliminatoire dans la majorité des
corps de police. Cela indique la grande importance qu'on leur
accorde pour entrer dans la profession. À quoi ressemblent-ils ?
Les principaux modèles qui se dégagent sont les suivants :

1. Le test d'aptitudes physiques du Collège de police de l'Ontario
(CPO) comprend une course d'un mille et demi (environ
2,40 km), un test de souplesse avec redressements assis et étire-
ments, un sprint de 100 verges (91,44 m), et une épreuve servant à
déterminer le nombre maximum de redressements assis et de tractions que le candidat peut effectuer en une minute. Certains services de police modifient ces épreuves pour les femmes.

2. Exécution de tous ces tests, plus mesure de la capacité aérobique et
« anaérobique » ainsi que du taux d'adiposité corporelle, exécution de
tractions à la barre fixe et course d'agilité. On attribue à chaque com-
posante du test une valeur, et le total de toutes les valeurs égale 100 %.
Certains services de police modifient ces tests pour les femmes.

3. Exécution des tests énumérés ci-dessus plus une mesure de la force de la poignée (test du dynamomètre), mesure de la capacité aérobique, exécution de tractions à la barre fixe, tirage de poids et sauts en hauteur. La note de passage pour ces tests d'aptitudes physiques varie aussi selon les services de police, entre 55 % et 75 %.

4. Beaucoup de services de police utilisent le test d'aptitudes physiques du policier (POPAT) créé par le Justice Institute of British Columbia pour **tous** les candidats. Ce test inclut une course de mobilité et d'agilité d'un mille et quart (un peu plus de 2 km), une activité de traction et de poussée, une activité modifiée d'appui facial avec projection des jambes vers l'arrière, station debout et saut latéral, et un port de poids (45,5 kg).

5. La GRC utilise le test d'aptitudes physiques essentielles (TAPE) comme instrument de sélection important pour tous les candidats. Le TAPE est un exercice de simulation qui comporte trois composantes : une course d'obstacles à 6 tours, un exercice de poussée et de traction et le port d'un sac de 36 kg sur une distance de 15 m dans un délai donné. Pour être reçus, les aspirants policiers doivent, à la fin de leur formation à l'école de la gendarmerie, pouvoir transporter un sac de 45,5 kg (Walker, 1993, p. 32-33).

Les corps de police disent ne plus faire de discrimination à l'égard des femmes avec ces tests, car, à leur intention, plusieurs d'entre eux furent modifiés. Sur le plan technique, certaines de ces modifications n'ont pas éliminé la discrimination, comme en témoigne cet examen des tests d'habiletés physiques à Toronto :

> [...] ces tests d'habiletés physiques sont principalement basés sur les capacités « anaérobiques » (57,1 %), ensuite sur les habiletés aérobiques (28,6 %) et les tests de flexibilité. L'importance accordée aux résultats obtenus lors des tests « anaérobiques » indique que les services de police de Toronto considèrent comme prioritaire la force musculaire. Cela signifie que les hommes, dont la masse musculaire est plus importante, ont un avantage biologique sur les femmes dans les exercices « anaérobiques ». Les femmes,

toutefois, ont un avantage biologique sur les hommes dans les exercices de flexibilité. Par exemple, Kimura (1992, p. 120-121) a montré que les hommes ont de meilleures performances que les femmes dans les habiletés motrices du lancer, telles que diriger ou intercepter des projectiles, et que celles-ci présentaient de meilleures performances dans les exercices de coordination exigeant une motricité fine. Enfin, quand les différences de force musculaire sont éliminées, il n'y a pas de différence significative entre l'endurance musculaire des hommes et celle des femmes.

Cette emphase sur la force musculaire et la moins grande importance accordée à la flexibilité dans les tests physiques d'entrée dans la police discriminent les femmes. Il faudrait exiger que les hommes aient une meilleure performance qu'elles dans tous les types de tests physiques. Abaisser les standards de réussite aux tests pour les femmes ne crée pas d'équité, car c'est l'emphase sur la force musculaire qui crée cette iniquité. (Stansfield, 1996, p. 79-80. Notre traduction.)

Cette discrimination physique à l'égard des femmes peut également se révéler plus subtile, comme la mesure d'adiposité physique *(fat test)* :

Les tests usuels de mesure permettent aux hommes 21 % de masse adipeuse et aux femmes, 24 %. L'adiposité d'un homme moyen est de 18 % et chez une femme, de 28 %. Les femmes ont naturellement 10 % de plus de masse adipeuse que les hommes, car elles ont plus de cellules graisseuses et leur masse est plus importante. Les tests requièrent ainsi que les femmes aient 4 % de **moins** de masse adipeuse que la femme moyenne tandis que les hommes peuvent avoir 3 % de **plus** de masse adipeuse que l'homme moyen. (McCulloch et Schetzer, 1993. Notre traduction.)

Dans ces débats techniques, on fait reposer l'enjeu de la discrimination sur l'adaptation des tests à la biologie féminine. Mais est-ce bien là le véritable enjeu ? Si ces tests sont importants au point de constituer un facteur éliminatoire dans le processus de sélection des nouveaux policiers, comment se fait-il qu'aucun service de police n'impose une quelconque forme physique comme condition de maintien à l'emploi ? En fait, la majorité des policiers et policières en service ne pourraient réussir ces tests, car ils correspondent au repérage d'hommes jeunes et forts, discriminant à peu près toute personne de plus de trente ans (Byers, 1997). Cela élimine ainsi l'accessibilité à la profession de femmes (et d'hommes) plus matures dont, entre autres, celles qui ont eu des enfants très tôt et décideraient par la suite d'entreprendre une carrière. Mais il y a plus que cela. Cette situation amène à s'interroger sur la pertinence même de ces tests comme critères d'entrée dans la profession (Peak, 1993 ; Roberg et Kuyhendall, 1993 ; Stanfield, 1996 ; Townsey, 1982).

> [...] le rationnel selon lequel la grosseur physique équivaut à la force qui signifie à son tour la compétence a été rejeté par des recherches empiriques. Les femmes sont aussi capables d'assumer les fonctions reliées à la patrouille, sans pour cela avoir plus de risques d'être blessées lors des altercations, même si, à l'évidence, elles sont en général moins fortes que les hommes, ce qui ne signifie nullement une mauvaise condition physique. (Lebeuf, 1996, p. 21-22.)

Des tests d'aptitudes physiques différentiels pour les femmes plutôt que la remise en question de leur pertinence pour entrer dans la police maintiennent chez les policiers la perception de la nécessité de la force physique pour accomplir les fonctions policières et qu'à cet égard, les femmes représentent un risque dans la profession. Pourtant, ce critère de sélection éliminatoire aurait dû être aboli depuis longtemps et demeurer une exigence particulière à certaines escouades spécialisées, considérant que très peu de policiers en service pourraient le réussir, policiers qui ne sont pas pour autant devenus de mauvais policiers. En fait, la communication est l'habileté professionnelle essentielle d'un bon policier.

Plusieurs de ces exigences de force et d'agilité physiques sont davantage reliées à l'image machiste de la police qu'aux exigences de l'emploi. On reconnaît de plus en plus qu'une personne capable de courir un mille peut ne pas être apte à devenir policier si elle n'a pas d'habiletés à communiquer. On peut se demander si ces tests physiques sont vraiment nécessaires à l'emploi ou s'ils ne sont pas clairement discriminatoires à l'égard des femmes et des hommes plus petits. (Seagrave, 1997, p. 75-76. Notre traduction.)

La modification en profondeur des critères de sélection, de manière à valoriser en priorité des compétences en communication, permettrait non seulement aux postulant(e)s de faire valoir des expériences de travail qui leur ont permis de développer ces qualités, mais également accroîtrait la perception que les femmes ont les compétences pour faire ce travail (Felkenes, Peretz et Schrœdel, 1993).

À l'heure actuelle, dans les organisations policières, au lieu de remettre en question l'importance de la force physique dans les critères de sélection — permettant ainsi de diminuer la perception que l'autoritarisme et la force sont les outils premiers de l'intervention policière —, on privilégie un discours qui fait reposer sur la présence croissante des femmes dans la police la diminution de l'importance de l'autoritarisme et de la force dans la culture professionnelle. Ce discours repose sur la croyance que les aptitudes « naturelles » qu'auraient les femmes vers d'autres formes d'interventions plus conciliatoires amèneraient les policiers à changer. Nous aurons l'occasion de revenir sur les pièges de cette croyance pour les policières.

L'entrevue

Au Canada, plus de femmes que d'hommes échouent aux tests d'aptitudes physiques et ratent leur entrevue d'embauche. C'est à cette étape de la sélection, en fait, que les policières vivent le plus de discrimination. En de nombreux endroits, selon une enquête de Walker (1993), il y a encore des entrevues menées exclusivement par des hommes qui posent aux postulantes des questions sur leur état matrimonial, leurs projets familiaux et même leurs capacités physiques (elles ont pourtant déjà réussi cette étape). De plus, certaines subissent des commentaires qui mettent en doute qu'elles soient à leur place dans la police. Enfin, les policières ont le sentiment que leur expérience antérieure dans diverses formes d'intervention sociale n'a joué aucun rôle au moment de l'entrevue tandis qu'un

> [...] petit nombre d'agents du sexe masculin ont dit que des facteurs comme une formation militaire, un travail au sein d'un service de police auxiliaire et une expérience antérieure dans la police étaient entrés en ligne de compte au moment de leur sélection. (Walker, 1993, p. 96.)

Plusieurs études ont montré que l'apparence d'une personne en fonction des stéréotypes physiques de l'emploi joue un rôle dans l'appréciation de sa compétence, indépendamment de ses qualifications, si d'autres critères formels ne viennent en diminuer l'importance (Cain, 1991 ; Collins et Zebrowitz, 1995 ; Jackson, 1992 ; Jackson et Ervin, 1992 ; Unger et Crawford, 1992). La présence de plus d'une personne, lors de l'entrevue — si possible, la présence de policières —, de même que des lignes directrices encadrant des questions standardisées et reliées aux nécessités de l'emploi permettraient de diminuer l'importance de ce problème et de mesurer plus adéquatement les capacités des recrues à occuper la fonction policière (Jain, 1994 ; Major et autres, 1994 ; Nelson, 1992).

Les tests psychologiques

Les tests psychologiques auraient, entre autres buts, de repérer les personnes attirées par le travail policier parce qu'elles ont des personnalités autoritaires et violentes. Il s'agirait alors de les éliminer avant qu'elles ne « contaminent » le corps policier. Ce tri contribuerait aussi à diminuer les excès de violence dans la police. Nombre d'études (Klofas et autres, 1990 ; Lalande, 1990 ; McConville et Shepherd, 1992 ; Nelson, 1992 ; O'Bireck, 1992) remettent en question cette prétention d'extirper la violence et l'autoritarisme de la police par des tests psychologiques. Selon les chercheurs, nier l'impact du processus de socialisation et d'intégration à la culture professionnelle semble responsable de ces excès. Et le premier lieu de socialisation à cette culture est la formation professionnelle.

La formation

La transmission des valeurs d'une organisation passe principalement, chez les recrues, par les divers mécanismes de transmission de la connaissance. Au cours de la formation de base, la recrue prend connaissance des documents officiels qui définissent la fonction, les tâches et le rôle de l'agent. Dans la formation pratique, la recrue complète ses connaissances de base par l'information que transmettent les autres agents par leur pratique, et plus particulièrement le ou les agents qui la prennent en charge. Cette transmission des connaissances est d'autant plus facile que la recrue est encore très inquiète au sujet des manières d'opérer, qu'elle veut et qu'elle doit apprendre, car elle est alors en période d'essai. Elle construit sa crédibilité professionnelle (Alain, 2004 ; Alain et Grégoire 2007 ; Lalande, 1990).

Ainsi, la formation sert non seulement à l'acquisition de certaines habiletés nécessaires au travail, mais également à la socialisation à la culture professionnelle. Ce résultat est atteint d'autant plus aisément que les recrues cherchent à répondre aux attentes à leur égard et à s'intégrer au groupe.

La formation de base

Après le processus de sélection, la recrue reçoit une formation de base comprenant un stage dans une école de police. Cette formation doit correspondre aux exigences de la profession et combler les connaissances que la recrue n'a pu acquérir au cours de sa scolarité[22]. Le lieu de cette formation varie. Au Canada,

> [...] dans 22 % des cas, il s'agissait d'une école administrée par le service de police lui-même ; dans 48 % des cas, d'une école administrée par une autre autorité, et dans 30 % des cas, des deux sortes d'écoles. (Walker, 1993, p. 34.)

La majorité des enseignant(e)s des écoles de police sont ou ont été policiers. Les civils sont le plus souvent des contractuels engagés pour des cours spécifiques. La formation dans ces écoles, dont la durée varie de quelques semaines à quelques mois, est

---

22. À ce sujet, il y a lieu de s'interroger sur les exigences minimales de scolarité pour entrer dans la police, exigences que la loi de police fixe encore à un diplôme d'études secondaires. Sont-elles adéquates pour préparer un policier à intervenir correctement ? A-t-il l'âge et la maturité nécessaires (Institut de police du Québec, 1994 ; Martin, 1995 ; Seagrave, 1995 ; Switucha, 1992) ? Plusieurs corps de police ont déjà des exigences plus élevées que celles prévues par la loi (Statistique Canada, 1999). Dans la GRC, les 2/3 des recrues, à l'heure actuelle, ont un diplôme universitaire, principalement en droit, en criminologie et en informatique. Au Québec, la norme recommandée est un diplôme d'études collégiales (DEC) en techniques policières. En fait, dans de nombreux pays, on a de plus en plus tendance à engager des personnes qui se situent au-delà des normes minimales requises (Comité de la planification stratégique de la formation des policiers, 1992, chap. 3 ; Forcese, 1999). Mais la transition syndicale vers des exigences plus élevées pour tous les policiers au regard des anciens policiers moins scolarisés n'est pas aisée, surtout que cela vient alimenter le débat sur les compétences professionnelles nécessaires à la fonction (Leblanc, 1989 ; Nelson, 1992).

généralement faite en internat. Cet isolement est justifié par l'importance de créer une solidarité policière forte et d'acquérir la discipline nécessaire à la structure paramilitaire de la fonction :

> L'isolement de la recrue en formation et le modèle paramilitaire qui y prévaut sont plus présents au centre de formation de la GRC à Régina. [...] Il y a une emphase explicite sur l'exercice et la discipline, emphase justifiée à la GRC par le besoin de développer une solidarité dans le groupe. [...] Ce modèle paramilitaire existe dans la plupart des centres de formation. L'objectif d'isoler les recrues est une rapide socialisation à la profession. (Forcese, 1999, p. 142. Notre traduction.)

Mais, comme le soulignait le lieutenant-détective Daniel Cournoyer (1999) du SPCUM[23], si la solidarité peut être une qualité pour travailler, elle peut également se transformer en problème lorsqu'elle signifie l'appartenance inconditionnelle à la culture professionnelle, la loi du silence et l'isolement des citoyens[24].

La valorisation de cette culture militaire est en porte à faux sur les discours de changements que l'on dit vouloir instituer vers une police moins autoritaire, en diminuant l'usage de la force. Le contenu des cours est également à repenser. À l'heure actuelle, la majorité des heures de cours (et non des cours eux-mêmes) est consacrée à la connaissance des lois, à l'apprentissage de l'usage des armes, des techniques de défense, de la conduite automobile et des procédures d'arrestation, d'enquête et d'interrogation (Dantzker et Mitchell, 1998). L'exemple de la formation offerte, en 1995, au Collège de police de l'Ontario illustre le problème causé par ces priorités :

---

23. Service de police de la communauté urbaine de Montréal. Il s'agit de l'ancienne appellation du Service de police de la ville de Montréal.
24. C'est l'effet que confirme une étude récente d'Alain et Grégoire (2007).

Le temps alloué aux différentes matières à l'étude dans le programme de base reflète implicitement les priorités du Collège de police de l'Ontario. À cet effet, nous constatons que l'inclusion (c'est-à-dire la formation contre le racisme et la sensibilisation à la violence faite aux femmes) est moins importante que l'exclusion (l'étude du Code criminel, des lois de la circulation et de celles sur les drogues). De même, la résolution sans violence des conflits (le développement d'habiletés de communication) est moins « prioritaire » que la résolution violente des conflits (c'est-à-dire les tactiques de défense et l'usage des armes à feu). L'éducation à l'empathie (c'est-à-dire la sensibilité aux victimes) est aussi importante, et parfois moins, que l'apprentissage de techniques (c'est-à-dire la conduite automobile et le C.P.I.C.). De même, rendre des comptes (l'éthique policière) est une priorité moins grande que l'exercice du pouvoir (l'arrestation et la preuve).

Une analyse des rôles de la police mis de l'avant dans les différentes matières à l'étude nous révèle également que le contrôle du crime (75,9 %) est une priorité plus grande que les services à la communauté (24,1 %). De manière similaire, beaucoup plus de temps est consacré à l'apprentissage d'habiletés de contrôle du crime (84,0 %) qu'à l'acquisition d'habiletés sociales (16,0 %). (Stansfield, 1996, p. 90. Notre traduction.)

Nombre d'études soulignent l'importance de modifier cette distribution des heures de cours dans la formation de base, car celle-ci constitue une étape cruciale de la socialisation professionnelle où se modèlent les attentes à l'égard de la fonction policière (Berg, 1992, chapitre 10 ; Gorgeon, 1996). Le contenu des cours demeure axé sur une image de la profession où dominent l'action, le danger et la menace de l'ennemi, image déphasée de la réalité (Bayley, 1994). Ce décalage démotive les recrues à développer les habiletés de communication et d'intervention sociale pour mieux accomplir leur travail, et perpétue l'image d'autoritarisme et de force qu'annonçait déjà l'importance des tests d'habiletés physiques en tant que critères éliminatoires de sélection.

Ce renforcement de la culture masculine traditionnelle de la police se produit même chez les recrues qui, au départ, en avaient une vision plus communautaire. Ellis (1991) a mesuré les perceptions, attitudes et opinions de recrues au début et à la fin de leur formation. Il a constaté que ce qui chute le plus rapidement, pendant la formation, est l'opinion que le travail de la police est de servir le public (de 57 % à 35 %). Bien pis : l'affirmation que le service public n'est pas une priorité dans les tâches de la police passe de 16 % à 37 % à la suite de la formation. Ellis a également constaté que la fonction de patrouilleur, futur travail de la majorité des recrues et pivot de la police communautaire, perd de son importance au profit d'une carrière au bureau des enquêtes criminelles[25].

De même, un comité de travail de l'Institut de police du Québec (1994) a constaté que le manque de définition claire de ce qu'est la police communautaire chez les instructeurs et les formateurs, de même que l'attachement à l'image traditionnelle de la police font que chacun en transmet sa définition, avec plus ou moins de conviction, sans que cela forme un tout cohérent et intégré pour les recrues. Le résultat est que leur formation, au lieu de les éveiller aux réalités nouvelles d'une police capable de gérer les conflits avec moins d'autorité, crée « un certain écœurement envers ce sujet » (Institut de police du Québec, 1994, p. 73).

Plusieurs groupes d'études ont fait des recommandations afin que les recrues s'ouvrent à la nécessité d'acquérir de nouvelles habiletés plus propres à la fonction. Entre autres, on recommande que la formation ait lieu dans un environnement plus ouvert à la communauté et lié aux autres établissements d'éducation afin de briser la microsociété des recrues policières en formation (Comité de la planification stratégique de la formation des

---

25. Cette étude canadienne fait écho à des recherches dans d'autres pays (Fielding et Fielding, 1991).

policiers, 1992 ; Institut de police du Québec, 1994). Cela peut certainement aider. Mais, au Québec, où la formation en techniques policières est donnée dans des collèges d'enseignement public (cégep), les étudiant(e)s forment une microsociété dans ces lieux, microsociété qui a tendance à se replier sur elle-même :

> Très rapidement, les étudiants se regroupent et se différencient des autres départements entre autres en portant constamment leur veston identifié aux couleurs de leur département. (Institut de police du Québec, 1994, p. 62.)

Ainsi, cette situation ne brise pas automatiquement tous les autres facteurs qui valorisent l'isolement professionnel. En fait, les recommandations quant à des exigences de scolarité plus élevées et à une formation qui prépare mieux aux réalités de l'emploi aideraient davantage à modifier une culture professionnelle encore trop fermée et trop axée sur une vision de la police où la force et l'autoritarisme constituent les principaux outils de travail. De plus, l'implantation de ces recommandations aurait l'avantage de diminuer la dépendance des femmes aux mécanismes non officiels actuels d'apprentissage.

Les programmes d'équité pourraient, théoriquement, jouer un rôle pour modifier les normes discriminatoires de formation, car elles ne correspondent pas aux exigences de la fonction, mais répondent à une culture professionnelle masculine, où la compétence des femmes est moins reconnue. Mais cela risquerait de faire reposer sur les femmes des changements dont la responsabilité appartient aux organisations policières. Si les femmes étaient liées à ces changements dans la formation, elles seraient accusées de « féminiser » la profession et en subiraient encore le contrecoup.

La formation pratique

Cette formation comprend généralement une période d'essai de six à douze mois avec un agent plus expérimenté, des formations spécifiques d'un corps de police donné, de même que des rotations de tâches afin de multiplier les apprentissages. C'est l'entrée sur le terrain. Plus le service policier est important, plus le programme de formation est structuré. Pour les petits corps de police, la question de la formation pratique se pose peu, puisqu'ils ont tendance à recruter des policiers déjà formés.

Cette formation pratique est un moment important de consolidation de la solidarité policière (Alain et Grégoire, 2007 ; Seagrave, 1997). Toutefois, cette solidarité est très souvent fondée sur une image négative de l'administration qui ne comprendrait pas les besoins de la base (Alain et Grégoire, 2007 ; Gorgeon, 1996). Le résultat est que l'on apprend vite à ne pas aller vers le haut de la hiérarchie lorsque l'on vit des problèmes, mais à se conformer aux normes d'appartenance au groupe.

Les policières ne peuvent échapper aux manifestations de cette solidarité. Comme les policiers, elles seront mises à l'épreuve afin de vérifier si leurs pratiques s'inscrivent dans la culture dominante professionnelle et si elles sont solidaires du groupe. C'est une étape souvent difficile pour elles, car les règles qui régissent les pratiques de travail ne sont pas officielles. Cela signifie agir comme les autres policiers pour réussir leur apprentissage et recevoir l'appui des collègues, c'est-à-dire être *one of the boys* (Ericson, 1992 ; Forcese, 1999 ; Martin, 1995 ; McConville et Shepherd, 1992 ; O'Bireck, 1992).

Vont-elles par la suite devenir plus autonomes à l'égard de cette culture professionnelle ?

Difficile. Les policières sont majoritairement au bas de l'échelle hiérarchique (voir Annexe III). De plus, elles se concentrent majoritairement dans les villes, mais sont souvent en situation très minoritaire dans les petites municipalités (voir Annexe IV). Enfin, le taux d'attrition des policières témoigne de problèmes persistants qui en amènent plusieurs à quitter la profession, particulièrement dans les villes comptant entre 50 000 et 100 000 habitants[26] :

> D'après les taux de roulement, les femmes (2,45 %) quittent la police dans une plus forte proportion que les hommes (0,66 %) [...] l'on sait que 44 % de ces femmes ont quitté la police à cause de conflits famille-carrière, d'une grossesse, de harcèlement ou d'une insatisfaction générale et qu'en outre, 22 % sont parties pour accepter un autre emploi, alors que les principales causes de départ chez les hommes étaient un autre emploi, le départ volontaire au lieu du licenciement. (Walker, 1993, p. XII.)

Il ne suffit donc pas d'embaucher des femmes dans les services policiers pour mesurer l'efficacité des programmes d'équité en emploi. Les organisations policières doivent s'assurer que toutes les conditions de mise en œuvre de ces programmes ont été remplies. Cela signifie qu'elles doivent participer activement à la modification des valeurs organisationnelles sous-jacentes aux pratiques discriminatoires (Espinosa, 1992 ; Legault, 1991 ; Turner et Pratkanis, 1994). Sans ce soutien institutionnel, les policières, en situation minoritaire, demeureront l'objet de polarisations, de préjugés et d'attitudes sexistes.

---

26. Il en est de même des minorités discriminées et des autochtones (Centre canadien pour les relations interraciales de la police, 1995). Ainsi, les femmes de ces groupes ne connaissent pas un meilleur sort et doivent composer avec les effets d'une double discrimination jumelée à la sous-représentation numérique (Trostle, 1992).

CHAPITRE IV

Être en minorité

[...] malgré l'augmentation du nombre de policières au sein du Service, leur isolement relatif au sein des différents postes a tendance à perpétuer leur statut de pionnières, peu importe leur niveau d'ancienneté. (Serge Meloche, directeur adjoint au SPCUM, 1999, p. 57.)

Les policières sont non seulement en minorité, mais nombre d'entre elles sont encore des pionnières au service de police où elles travaillent (voir Annexe IV). Même dans les services de grande taille où il y a plus de policières, elles sont souvent réparties dans différents postes où les interactions entre elles ne sont pas fréquentes, et ce, particulièrement dans les corps de police régionaux. Cette situation minoritaire accroît leur vulnérabilité à subir les effets de préjugés sexistes.

Les gens remettent-ils en question leurs préjugés lorsque les faits viennent en contredire la teneur? Pas nécessairement. Les études constatent que les croyances sont plus fortes que les faits lorsque les préjugés sont profonds. Et les préjugés sexistes sur les femmes au travail sont d'autant plus profonds qu'ils font écho à des préjugés sexistes hors travail, qui viennent en quelque sorte les « rationaliser », leur donner un fondement (Barber, 1992; Breakwell, 1990; Hoffman et Hurst, 1990). Comment se passe le maintien de ces préjugés? Pour maintenir des préjugés négatifs envers un groupe, les gens retiennent les comportements du groupe discriminé qui viennent les confirmer, même des petits détails, en négligeant la masse d'éléments qui les contredisent (Alcock et autres, 1994 ; Hamilton et autres, 1990).

Les recherches maintenant classiques de Kanter (1977a et b) se sont penchées sur les conséquences pour les femmes d'être en minorité dans un milieu de travail traditionnellement masculin. Elles constatent que dans cette situation, les femmes, qu'elles le veuillent ou non, deviennent des symboles ou des alibis représentatifs de leur sexe. Cette situation entraîne trois conséquences :

1. une plus grande **visibilité** des femmes dont les faits et gestes sont soumis à l'évaluation du groupe dominant à travers la grille de ses préjugés sexistes ;

2. la **polarisation des stéréotypes sexistes** dans l'évaluation formelle et « informelle » de leur travail ;

3. l'**assimilation** des femmes aux stéréotypes féminins ou encore aux normes masculines de travail pour diminuer les effets de cette visibilité et de cette polarisation.

Ces conséquences sont d'autant plus fortes si les femmes sont les premières dans un service ou une fonction (Jackson, 1997 ; Lebeuf, 1997). Toutefois, elles sont atténuées lorsque les femmes occupent une fonction stéréotypée « féminine ». Par exemple, une policière faisant partie du secteur s'occupant de la prévention, ou encore d'une escouade spéciale attachée aux délits de violence conjugale ou d'agressions sexuelles ressentira probablement moins les préjugés sexistes et leurs conséquences (Fielding, 1994 ; Konrad et autres, 1992 ; Rosenberg et autres, 1993 ; Winsor, 1988 ; Yoder 1991, 1994)[27].

---

27. Les conséquences soulignées par Kanter ne surviennent pas dès qu'il y a un déséquilibre numérique. Il faut que le groupe sous-représenté au travail soit également un groupe discriminé dans la société. Par exemple, les hommes qui travaillent dans les

Visibilité

Du fait de sa situation minoritaire, si une policière commet une erreur, celle-ci est non seulement vite remarquée, mais elle est rapidement colportée et vient confirmer les préjugés contre les femmes dans cette profession (Forcese, 1999 ; Walker, 1993). Et si une policière connaît un succès particulier ? Elle est perçue comme l'exception qui confirme la règle s'il s'agit d'une tâche typée masculine. Si la tâche est typée féminine, le mérite en est diminué ; d'une part, cette tâche a une valeur moindre dans la profession et d'autre part, les policières sont censées réussir non par compétence, mais parce que cela correspond à leurs « habiletés naturelles » de femmes[28] (Jost et Banaji, 1994 ; Linden, 1984 ; Martin, 1992 ; Unger et Crawford, 1992).

---

milieux traditionnellement féminins ont un plus petit salaire que les hommes occupant des emplois comparables et ont moins de satisfaction au travail que les hommes et les femmes œuvrant dans des professions traditionnellement masculines, car ils sont affectés par le statut social de l'emploi. L'homme est socialement dévalué en faisant un travail « féminin » tandis que la femme gagne en statut en faisant un travail « masculin » (Cassidy et Warren, 1991). Toutefois, ils sont peu affectés par les conséquences négatives de la sous-représentation numérique décrites par Kanter. Ainsi, ils rencontrent peu de barrières organisationnelles à leur cheminement dans l'emploi du fait de leur sexe. De plus, les causes de leur attrition relèvent surtout de mouvements de carrière vers d'autres emplois. Enfin, les hommes sont encouragés vers des postes plus qualifiés dans leur emploi, car même si la profession est numériquement dominée par les femmes, la culture organisationnelle demeure masculine. En d'autres termes, le sexisme des tâches demeure présent dans les professions à dominance féminine et les positions de pouvoir demeurent plus aisément masculines. Dans ce contexte, les messages symboliques reçus par les hommes en milieu traditionnellement féminin et les femmes en milieu traditionnellement masculin ne sont pas les mêmes, les hommes étant généralement bienvenus dans un milieu traditionnellement féminin et encouragés dans leur carrière (Epstein, 1992 ; Konrad et autres, 1992 ; Lips, 1991 ; Lips et Colwill, 1993 ; Morgan, 1992 ; Ott, 1989 ; Unger et Crawford, 1992 ; Williams, 1989).

28. Comme dans les autres professions traditionnellement masculines (Unger et Crawford, 1992). Des constats similaires ont été faits chez les femmes dans l'armée (Becraft, 1992 a et b ; Comité ministériel sur les femmes dans les Forces armées canadiennes, 1991-1992) et en milieu correctionnel (Jurik, 1985, 1988 ; Jamieson et autres, 1990 ; Zimmer, 1986, 1989).

De plus, la pression au rendement résultant de cette visibilité peut créer un effet Pygmalion, c'est-à-dire que certaines policières peuvent réagir par une performance inadéquate issue du
stress de cette situation, renforçant les préjugés négatifs à l'égard
des policières. La recherche en psychologie sociale traite abon-
damment de cet effet Pygmalion dont la conséquence est de faire
apparaître comme naturelle l'incompétence du groupe discriminé
(Alcock et autres, 1994 ; Jost et Banaji, 1994 ; Kanter, 1997a et b ;
Lips, 1991).

Enfin, les femmes peuvent elles-mêmes cautionner ces préjugés par l'évaluation de leur propre compétence, en attribuant
automatiquement un échec à leur incompétence personnelle, et
un succès au fruit du hasard ou de la chance (Landry, 1990b).

Polarisation des stéréotypes

Même si c'est une politique de la plupart des corps de police de
donner aux policières le même accès aux tâches qu'aux policiers,
il n'y a pas de politiques formelles pour réglementer la distribution et la rotation des tâches. Celles-ci sont généralement attri-
buées selon les préférences des superviseurs de chaque unité.
Cette attribution non officielle des tâches a tendance à désavanta-
ger les policières qui, confinées à certaines tâches jugées plus
féminines, ne peuvent pas faire une démonstration adéquate de
leurs compétences. De plus, ces restrictions ont souvent pour
effet de conforter chez les policiers l'opinion selon laquelle les
policières ne peuvent pas vraiment s'intégrer à la profession, en
plus d'y bénéficier des tâches les plus faciles — même si le plus
souvent les policiers n'en veulent pas.

Par exemple, nombre de policiers persistent à croire que la
capacité physique des policières est un handicap lors d'incidents

où il y a possibilité de violence ou de blessures (Jackson, 1997 ; Walker, 1993). Pour cette raison, plusieurs policiers craignent d'être coéquipiers d'une policière, crainte partagée par plusieurs superviseurs qui hésitent à confier aux policières des tâches jugées à haut risque. Par contre, on leur confie aisément « une grande part des cas d'agression sexuelle et d'agression contre des enfants parce qu'on s'imagine qu'elles sont automatiquement plus aptes à s'en occuper » (Walker, 1993, p. 150).

Les policières qui ont accepté[29] d'être cloisonnées dans certaines tâches jugées plus « féminines » vivent moins d'interactions négatives avec leurs collègues et superviseurs ; mais elles en paient généralement le prix par la diminution des possibilités de promotion. Chez les policières qui ont subi, malgré elles, un cloisonnement dans ces tâches, être écartées

> [...] des rôles de premier plan qui offrent une reconnaissance sans restriction, met en évidence la présence d'un plafond invisible ou la façon qu'ont les hommes de s'approprier le pouvoir exclusif en matière de prises de décision. D'autres sont peut-être conscientes de la situation, mais perpétuent les stéréotypes en choisissant les emplois de 9 à 5, loin de l'action de première ligne, qui satisfont leurs désirs, leurs besoins sociaux et conviennent à leur situation familiale. Pour les femmes qui aspirent aux promotions, la situation est difficile. Dans les antichambres de la culture policière, l'audace, l'empressement et la capacité manifestés devant l'accomplissement des « basses besognes » sont perçus comme un excellent atout qui joue en faveur de l'acceptation et de l'avancement. Le temps passé dans un emploi de 9 à 5 peut apporter une tranquillité confortable, mais préjudiciable au processus compétitif de l'édification d'une carrière. (Lunney, 1997, p. 168-169.)

---

29. Les enquêtes auprès des policières indiquent que le quart d'entre elles préfèrent travailler aux relations communautaires ou à la prévention du crime (Jackson, 1997 ; Walker, 1993).

Si certaines policières, dans la perspective de leur cheminement de carrière, sont satisfaites de leur cloisonnement dans certaines tâches typées féminines, telles les activités sociopréventives, la violence conjugale et les agressions contre les enfants, d'autres, par contre, se plaignent du fait que « les hommes semblent en effet croire que toutes les femmes sont naturellement maternelles et comprennent mieux ces questions que les hommes » (Walker, 1993, p. 163 ; Zanin, 1999a). Si elles reconnaissent la pertinence d'être affectées aux délits sexuels pour le bien-être des femmes victimes de ces agressions, ces policières refusent ce naturalisme qui leur attribue des habiletés propres à leur sexe, croyance qui a pour conséquence de les cloisonner dans certaines tâches « féminines » qu'elles n'aiment pas nécessairement, ou qui sont peu propices aux promotions (Jackson, 1997 ; Palombo, 1992b)[30].

De plus, comme nous l'avons souligné plus tôt, la croyance en ce naturalisme féminin crée trop souvent chez les gestionnaires des attentes à l'égard des femmes pour modifier la culture policière, comme l'illustrent ces propos de Lunney, directeur retraité de la police :

> Le prototype de l'organisation communautaire des services policiers offre une occasion extraordinaire aux femmes de modifier la structure [...] en mettant à profit leurs habiletés naturelles dans un environnement passionnant. [...] La capacité de concevoir des stratégies à long terme, concernant les questions capitales que doivent affronter les services de police, sans faire appel aux modèles masculins axés sur la lutte, mais en laissant libre cours

---

30. D'ailleurs, une étude auprès des victimes d'agressions sexuelles (Jordan, 2002) indique que même si elles préfèrent à prime abord des policières, l'empathie et l'attitude des personnes qui sont intervenues (hommes ou femmes) étaient les plus importantes. En d'autres termes, la capacité à intervenir dans semblable situation, tant pour les hommes que pour les femmes, est ce qui importe le plus dans ce type d'intervention.

aux capacités innées des femmes à satisfaire leurs désirs personnels dans toute situation donnée, en s'imposant par l'exemple et en essayant de saisir de l'intérieur les gens et les éléments cruciaux d'une situation. Les sociétés matriarcales qui se sont imposées dans le monde ont influencé leur époque de façon durable en comptant sur les capacités naturelles de femmes exceptionnelles, qui se sont servies des forces émotionnelles fondamentales et des ressources intellectuelles pour diriger leur société dans des temps difficiles comme à des époques de prospérité. (Lunney, 1997, p. 171.)

En matière d'implantation de la police de quartier, les attentes à l'égard des policières pour en assurer l'implantation sont particulièrement fortes.

Il me semble donc important de reconnaître ces aptitudes des poli-cières sur le plan des relations personnelles, surtout qu'elles sont un atout considérable dans le contexte du développement de la police de quartier. Je pense d'ailleurs que les services de police qui desservent de petites communautés devraient privilégier l'em-bauche de policières en considérant cet aspect de leur profil. (Serge Meloche, directeur adjoint au SPCUM, 1999, p. 62.)

Les femmes ont-elles une manière différente de travailler qui donne crédit à ces propos?

La socialisation des femmes dans notre culture a sans doute donné à nombre d'entre elles des habiletés plus grandes à verbali-ser leurs émotions (Kelly, 1997; Mathieu, 1989). Toutefois, comme nous l'avons mentionné, les femmes entrent dans la police avec une vision de leur rôle et de leurs fonctions similaire à celle des hommes. Comment expliquer alors le plus grand usage par les policières de stratégies conciliatoires dans la résolution de conflits? Pour répondre à cette question, il faut prendre en compte la réaction des citoyens à la présence de policières lors de conflits. Leur réaction est moins agressive qu'avec les policiers, car elles projettent davantage le rôle de service social de la police. Les policières peuvent donc adopter des modes de résolution de conflits plus conciliatoires. Toutefois, les policiers peuvent également bénéficier de cette ouverture des citoyens à la conciliation, comme l'illustre l'expérience de Menlo Park[31] en 1979, où on avait évalué les conséquences d'avoir modifié l'uniforme paramilitaire des agents de police au profit d'un blazer et d'un pantalon :

> Les chercheurs ont observé que, à la suite de ce changement, les policiers se voyaient davantage comme des « agents au service de la population » et qu'ils ont commencé à porter plus d'attention aux demandes d'assistance du public, qui occupent d'ailleurs la majeure partie du temps des agents de tout service de police. Le changement de costume a apparemment eu des effets sur l'attitude du public lui-même. Les cas d'assaut d'agents de police ont diminué de 30 % pendant les 18 premiers mois de l'expérience, et le nombre des blessures subies à l'occasion d'arrestations a diminué de moitié. De plus, il semble que le public ait témoigné plus de respect à l'égard de la police. Les chercheurs en ont conclu qu'on pourrait « réduire sensiblement le nombre des agressions en modifiant les symboles psychologiques associés au rôle de la police ».
>
> De nombreux partisans d'une présence plus sensible des femmes dans la police espéraient modifier par ce biais le rôle symbolique de la police. Cet espoir était dans une large mesure fondé sur l'idée traditionnelle selon laquelle les femmes sont plus douces et moins agressives que les hommes. Les travaux réalisés depuis ne prouvent cependant pas hors de tout doute que la présence des femmes dans la police contribuera à modifier l'attitude des policiers. Les services de police qui souhaitent réduire le nombre des agressions dont leurs agents sont victimes et améliorer l'image de la police auprès du public auraient donc tort de croire qu'il leur suffira de recruter des femmes, sans modifier d'autres aspects du système. (Linden et Minch, 1984, p. 66-67.)

Cette croyance en la capacité naturelle des femmes à assumer certaines tâches a également pour conséquence d'apporter

---

31. Menlo Park est une petite ville de 35 000 habitants située entre San Francisco et San Jose.

peu d'appui organisationnel à celles qui œuvrent dans les secteurs jugés féminins. Cette situation, les policières autochtones la vivent avec acuité, elles qui travaillent dans des communautés affligées d'énormes problèmes socioéconomiques auxquels ni la société autochtone ni la société blanche n'ont su répondre :

> On leur confie surtout des dossiers liés à des cas de suicide et à des incidents engendrés par un taux de chômage élevé, deux problèmes fréquents dans les réserves indiennes.

> Même si les collectivités autochtones ont des problèmes particuliers qui doivent être résolus, les policières autochtones font face aux mêmes obstacles et aux mêmes contraintes que leurs collègues féminines des autres services de police canadiens. Leurs possibilités d'avancement sont limitées, elles sont isolées et déplorent le manque de politiques en vue de répondre à leurs besoins. (McLean, 1997, p. 224.)

S'ajoute à cela une dimension peu abordée par la recherche, soit le fait que certaines policières ne sont pas exemptes de ces préjugés sexistes les portant à croire que les femmes sont plus aptes à occuper des fonctions « féminines » et moins aptes à occuper des fonctions « masculines ». Cela se traduit par leur confiance plus grande aux policiers pour occuper les fonctions typées masculines pour lesquelles ils seraient plus « naturellement » compétents (Grennan, 1993 ; Martin, 1992 ; Unger et Crawford, 1992).

Une étude de Christie (1992) présente un intérêt particulier sur cette question. Il a identifié les trois motivations premières pour entrer dans la police chez des recrues féminines et masculines et a constaté qu'elles étaient identiques : le désir d'aider les citoyens, la sécurité d'emploi et le combat contre le crime (dans l'ordre). Il a également évalué chez ces deux groupes la perception que l'on avait des motivations des hommes et des femmes en général à entrer dans la police :

Le résultat le plus intéressant est le décalage entre les raisons données par les hommes pour entrer dans la police et la perception que ceux-ci ont des motivations des hommes en général pour entrer dans la police. Il y avait le même décalage entre les raisons données par les femmes pour entrer dans la police et leur perception des raisons pour lesquelles les femmes entraient dans la police. [...]

Tous voyaient les motivations des hommes en général et des femmes en général de manière assez stéréotypée comparativement aux motivations qu'ils ont présentées. (Christie, 1992, p. 21. Notre traduction.)

Ainsi, malgré les motivations similaires des recrues des deux sexes pour entrer dans la police, tant les recrues féminines que masculines croyaient que les hommes entraient dans la police d'abord pour l'autorité et le pouvoir que donne la profession, l'action, le combat contre le crime et la sécurité d'emploi (dans l'ordre) et les femmes, pour aider les gens, la sécurité d'emploi, le combat contre le crime et l'action (dans l'ordre). La perception stéréotypée des motivations que l'on attribue à chacun des sexes demeure, et ce, même à l'égard de son propre sexe.

D'autres études en milieu de travail traditionnellement masculin ont porté sur la perception de la véracité d'un discours, oral ou écrit, et sur la compétence de son auteur. Les résultats indiquent que lorsque l'on attribuait la provenance du discours à un homme, la perception de sa véracité et de la compétence de son auteur était plus favorable, et ce, tant chez les femmes que chez les hommes. Cette perception stéréotypée a des conséquences négatives pour les femmes lorsque vient le temps de faire valoir un point de vue différent de celui d'un ou plusieurs autres collègues masculins au travail (Martin, 1992). Pourquoi les femmes participent-elles à ces stéréotypes ?

Peut-être que certaines personnes tiennent à certains stéréotypes parce que leur identité serait à risque autrement ou encore parce que cela fait partie d'un système de croyances qui les a convaincues que ces distinctions sont naturelles et normales. Ces convictions peuvent appartenir tant à ceux à qui cela sert qu'à ceux à qui cela ne sert pas. (Epstein, 1992, p. 237. Notre traduction.)

Le jeu de ces stéréotypes sexistes au travail rend difficile pour les policières de préserver leur crédibilité **à la fois comme policière et comme femme**. Par exemple, les policières qui demandent de l'aide à leurs supérieurs dans les situations jugées à haut risque sont perçues comme compétentes en tant que femmes parce que l'on s'attend à cela d'elles, selon les stéréotypes, mais pas en tant que policières. Mais si elles ne demandent pas d'aide et vont « au-devant des coups », elles ne sont plus de « vraies » femmes (Grennan, 1993 ; Smith et DeWine, 1991)[32].

Quelles stratégies d'adaptation les policières ont-elles trouvées pour répondre à ces attentes contradictoires liées aux préjugés sexistes en milieu policier ?

Assimilation et stratégies d'adaptation

Les femmes ont à prouver leur crédibilité en tant que policières chaque fois qu'elles franchissent un palier hiérarchique ou qu'elles travaillent dans une nouvelle section ou un nouveau secteur (Heidensohn, 1992). Leur acceptation est conditionnelle au respect des normes dominantes masculines, encore très présentes dans l'organisation.

---

32. Pour les policiers, ces demandes d'aide à leurs supérieurs génèrent une plus grande perception d'incompétence parce que l'on s'attend à davantage d'autonomie des hommes (Smith et DeWine, 1991). Une étude de Hort et autres (1990) indique à cet effet que les stéréotypes masculins sont plus typés que les stéréotypes féminins.

> Il est intéressant de noter que, lorsqu'elles [les policières] ont été priées de citer un incident critique qui, à leur avis, avait joué un rôle déterminant dans leur acceptation par leurs collègues du sexe masculin à un point antérieur de leur carrière, les policières ont, sans exception, mentionné un **incident de nature physique** durant lequel elles s'étaient montrées capables de se défendre et (ou) de défendre leur partenaire. (Walker, 1993, p. 167.)

Une enquête de Hunt (1992) a même constaté qu'il était mieux vu d'avoir fait preuve de trop d'agressivité et de se faire dire de se calmer, ce qui confirme que l'on est une « vraie police » auprès de ses collègues, plutôt que d'avoir manqué d'agressivité là où il en fallait (selon eux), ce qui venait confirmer que l'on n'était pas faite pour la police. Le risque de cette situation pour les jeunes policières perçues comme moins aptes à utiliser la « force nécessaire » est d'être encouragées plus souvent que les jeunes policiers à faire preuve d'autorité agressive pour prouver leur compétence professionnelle (Grennan, 1993). Ou encore, lorsque les policières refusent ce type de preuve de leur professionnalisme, l'autre danger est de voir mise en doute leur compétence professionnelle par leur cloisonnement dans des fonctions et agissements féminins.

> Probablement à cause des obstacles auxquels font face les femmes à leur entrée dans la police, des recherches suggèrent que deux rôles professionnels différents peuvent se développer : la **policière** femme et la **femme** policière. La première tente de gagner l'approbation de ses collègues masculins en adhérant aux valeurs et aux normes de la police traditionnelle, avec le contrôle du crime comme première orientation ; la seconde tente d'accomplir ses fonctions « d'une manière stéréotypée féminine ». Elle fait peu d'arrestations, évite les incidents de nature physique, et s'efforce de demeurer une « vraie femme ». (Roberg et Kuyhendall, 1993, p. 402. Notre traduction.)

Voyons les rôles-pièges, selon l'analyse de Kanter (1997), qui guettent les policières coincées entre ces attentes contradictoires et qui cherchent à s'y adapter.

Femme policière

Premier rôle-piège : la mère

La mère est celle sur laquelle les collègues s'appuient pour déverser le trop-plein d'émotion, à qui l'on demande du réconfort. Celles qui jouent ce rôle deviennent les confidentes privilégiées des collègues. On s'attend à ce qu'elles soient toujours accueillantes et prêtes à écouter, à réconforter, à régler les conflits socioaffectifs dans l'organisation, et le tout, sans critiquer. Le piège est que ces mères se transforment vite en mégères si elles prennent parti et sont perçues comme étant trop émotives et peu autonomes au regard des exigences de « rationalité » de l'organisation.

Également, l'une des tâches fort importantes pour les organisations que l'on confie à ces « mères », lorsqu'elles gagnent en expérience, est celle de médiatrice lors de conflits individuels. Cette tâche gruge beaucoup de temps et d'énergie chez les femmes. Toutefois, la discrétion exigée par la médiation fait qu'il en résulte peu de récompenses organisationnelles, et ce, d'autant plus que l'on attribue le succès des femmes en ce domaine à leur aisance naturelle en résolution de conflits (Kolb, 1992).

Deuxième rôle-piège : la séductrice

La séductrice est celle qui est perçue comme étant attrayante, perpétuellement disponible aux avances sexuelles. Bien sûr, elle devient objet de compétition et de jalousie chez ses collègues masculins. Le piège, bien sûr, est que si elle ne répond à aucune avance, elle est perçue comme une manipulatrice et provoque du ressentiment ; si elle répond à plusieurs avances, elle est une pute. De plus, si elle répond aux avances d'un homme à un palier hiérarchique supérieur, on doutera des motifs annoncés de sa promotion, car la séductrice a peu de crédibilité professionnelle.

Troisième rôle-piège : la femme enfant

La femme enfant est la petite sœur qui a besoin de la protection de son grand frère. Elle regarde avec admiration les exploits de ses collègues masculins (grands frères). Elle n'est pas perçue comme étant compétente, mais mignonne dans son travail.

Policière femme

Quatrième rôle-piège : la dame de fer

Celles qui sont perçues comme des dames de fer parce qu'elles s'affirment et refusent d'entrer dans les jeux de la séduction pour obtenir ce qu'elles veulent, sont généralement jugées froides, agressives, ambitieuses et asexuées (Berg, 1992). Si on leur reconnaît une compétence dans la fonction policière, c'est au prix de la négation de leur féminité.

Le choix par les policières de s'affirmer principalement comme femmes policières ou policières femmes peut créer des tensions entre ces deux groupes, chacun considérant que l'autre groupe nuit à son affirmation sexuelle ou à son identité professionnelle (Brewer, 1991 ; Epstein, 1992 ; Jones, 1986 ; Martin, 1987).

Toutefois, ces dernières années, la présence croissante de modèles féminins dans la police par l'augmentation de femmes aux paliers hiérarchiques supérieurs (voir Annexe III) atténue cette dualité en donnant raison aux femmes de croire qu'elles peuvent se distinguer sans se mettre en péril, soit comme femmes, soit comme professionnelles. C'est la reconnaissance en tant que **policière**.

Policière

Que font plusieurs policières pour tenter de sortir de ces rôles-pièges et être perçues en tant que femmes professionnellement compétentes?

Dans une enquête auprès des gardiennes de prison, Jurik (1988) a identifié cinq stratégies que l'on peut aisément transposer aux policières.

La première est de conserver une image professionnelle en évitant la camaraderie et en collant aux règles que l'on connaît, bien sûr, par cœur. Cette stratégie est profitable pour être moins manipulée quand on arrive dans le milieu, mais pas à long terme. Faire durer cette stratégie entraîne la perception que l'on est incapable d'utiliser son jugement pour se distancier de ces règles quand c'est nécessaire. Et si on gagne en pouvoir en persistant dans cette stratégie, les rapports avec les subalternes peuvent devenir extrêmement difficiles.

La seconde stratégie est de faire ressortir son expérience unique comme femme. Cela évite ainsi, politiquement, d'entrer en compétition avec les collègues masculins tout en faisant preuve de compétence. La limite de cette stratégie est de cloisonner les femmes dans des tâches spécifiques, ce qui, comme nous l'avons souligné plus haut, rend difficile les transferts vers d'autres secteurs ou encore limite les promotions parce que ces policières sont trop spécialisées. Également, cela entretient l'image de la femme incapable d'effectuer les tâches typées masculines.

La troisième stratégie est de s'identifier à une équipe, particulièrement si l'on a fait un bon coup, pour éviter d'être mise en évidence au détriment des hommes. Le problème est que même si le travail d'équipe est mis en valeur par les gestionnaires dans la police, en pratique, on ne donne pas des promotions à des équipes, mais à des individus. Cette stratégie cache les succès des policières.

La quatrième stratégie est l'humour. Cette stratégie, jugée importante par l'ensemble des policières selon les enquêtes (TNT, 1988 ; Martin, 1987, Walker, 1993), est relativement profitable pour échanger avec le public et les collègues. Mais c'est une arme à double tranchant ; cela peut également signifier, dans un contexte de discrimination sexiste, l'acceptation du harcèlement sexuel ou sexiste[33].

La cinquième stratégie est de rechercher la protection d'un mentor. Le problème est que si cette protection est trop affichée, c'est immédiatement la relation sexuelle qui est soupçonnée et si la femme obtient une promotion, la légitimité de sa promotion sera mise en doute. S'il y a brouille avec le mentor, on pensera à la rupture amoureuse, etc. S'il s'agit d'une mentor, la solidarité féminine sera l'explication des promotions, indépendamment des compétences.

En somme, comme elles sont en minorité et que les processus organisationnels pour les intégrer ne sont pas encore efficaces ou suffisants, les policières risquent, pour répondre aux attentes contradictoires du milieu à leur égard, de glisser dans des rôles-pièges qui minent leur crédibilité en tant que policière ou en tant que femme, ou encore d'adopter des stratégies professionnelles parfois coûteuses. Est-ce que l'augmentation du nombre de policières viendra automatiquement faire disparaître tous ces problèmes ?

Le nombre magique

Kanter (1997) croit qu'il y a une proportion-seuil au-delà de laquelle la discrimination et l'isolement des femmes diminuent considérablement au profit d'une plus grande capacité de créer

---

33. Nous reviendrons sur la question du harcèlement sexuel et sexiste au chapitre suivant.

des alliances et d'amorcer des changements. Plusieurs gestionnaires de la police laissent également entendre que l'augmentation
du nombre de policières amènera les changements nécessaires à
leur intégration complète. Mais des recherches ont montré qu'en
accordant une si grande importance à cette proportion-seuil,
Kanter sous-estime le ressac que peuvent vivre les femmes quand
elles investissent des emplois traditionnellement masculins, surtout si l'administration n'agit pas activement pour modifier la
culture de travail (Anderson, 1993).

En d'autres termes, même avec une augmentation du
nombre de policières, si rien n'est fait par les institutions policières pour diminuer les préjugés sexistes et leurs conséquences
dans la culture et l'organisation du travail, les policières demeureront peu intégrées professionnellement et créeront difficilement
des réseaux d'entraide porteurs de changements (MacCorquodale
et Jensen, 1993; McLean, 1997). Croire en un nombre magique
qui viendra tout arranger, c'est éviter toute la question de la responsabilité des organisations dans l'intégration des policières.

Cette croyance en un nombre magique est partagée
aujourd'hui par nombre de jeunes policières qui s'imaginent
maintenant pleinement intégrées, parce qu'elles sont plus nombreuses en tant que recrues, et vivent plus aisément leur entrée en
fonction que leurs aînées. Cette croyance peut durer quelques
années, car les policières visent à s'assimiler à leur milieu professionnel, non à le changer, au cours de leurs premières années de
travail. Et elles sont convaincues que leur intégration professionnelle repose d'abord et avant tout sur un rendement impeccable.
Mais lorsque les années d'expérience augmentent et qu'elles désirent être agentes de changement dans leur milieu, qu'elles veulent
combiner famille et carrière ou qu'elles prennent conscience du
harcèlement sexiste ou sexuel, les policières se rendent compte
qu'elles sont loin d'être intégrées et qu'elles sont mieux acceptées

en s'assimilant à la culture de travail dominante et en subissant passivement les contrecoups (Busson, 1997; Jacobs, 1987). Les enquêtes sont unanimes à constater qu'avec l'ancienneté, les policières trouvent important d'effectuer des changements dans la culture professionnelle de la police pour accroître le respect à leur égard en tant que femmes, pour faciliter leur capacité à concilier travail et famille, de même que pour réduire leur difficulté à obtenir des promotions (Lebeuf, 1996; TNT, 1988; Walker, 1993).

Ce sont ces éléments qui occuperont les prochains chapitres.

CHAPITRE V

Femmes et policières

En 1983, le gouvernement provincial a offert d'acquitter 50 % des frais engagés pour fournir à tous les agents de police de l'Ontario un gilet pare-balles. C'était une bonne chose. Malheureusement pour nous, les femmes ont reçu des vestes d'homme. Or la plupart d'entre vous sont probablement au courant que les premiers gilets pare-balles étaient en kevlar qui, à cette époque, n'était pas très flexible. Les femmes qui avaient la moindre courbe, devrais-je dire, ne les trouvaient pas très confortables. Lorsque nous avons demandé à la direction de nous fournir des gilets pour femmes, on nous a répondu qu'on ne les fabriquait pas. Cependant, tout comme les policières de nos jours, les agents de police féminins en 1983 n'étaient pas stupides, et nous avions déjà obtenu le numéro de modèle du gilet pour femme auprès du fournisseur et on nous avait signalé qu'il coûtait 25 $ de plus. Nous avons réussi à avoir le gilet pour femme. (Lenna Bradburn, chef du Service de police de Guelph, 1997, p. 130-131.)

Une personne s'engage dans son travail avec son corps, ses émotions, sa sexualité. Cette réalité est souvent niée par les organisations dont la tradition culturelle répond à la logique de production maximale de l'économie. Elles considèrent que ces dimensions de l'individu ne répondent pas aux exigences de « rationalité » de l'organisation du travail, qu'elles en perturbent l'efficacité et relèvent du domaine privé (Acker, 1990 ; Shilling, 1993 ; Wood, 1994).

Ainsi, la sexualité des femmes, leur capacité à procréer, la grossesse, l'allaitement, la place qu'occupe le soin aux enfants, les menstruations et leur mythique « émotivité » sont suspectes, stigmatisées, et servent à les contrôler ou à les exclure. (Acker, 1990, p. 139. Notre traduction.)

Les liens des policières avec leur famille et leurs répercussions au travail feront l'objet du chapitre suivant. Nous traiterons ici plus spécifiquement des comportements dans les interactions individuelles qui inscrivent ces dimensions de la vie des policières dans les rapports de pouvoir entre les sexes au travail.

Femmes

Le corps des femmes

La lente adaptation des organisations policières aux besoins du corps féminin, que ce soit par rapport à la coupe de l'uniforme (entre autres, lors de la grossesse), des instruments de travail, des installations physiques et sanitaires, témoigne du peu de prise en compte du corps des femmes à leur arrivée (Bradburn, 1997 ; Byers, 1997 ; Hunt, 1990 ; Marc-Aurèle, 1997 ; Ostiguy, 1997 ; TNT, 1988 ; Zanin, 1999b). En fait, ce sont les revendications des femmes qui ont souvent amené les organisations à s'adapter à leurs besoins physiques.

Quand les organisations policières ont pris des initiatives en ce sens, c'est souvent en tentant de préserver l'image publique de la fonction paramilitaire, projetée par des hommes grands et en uniforme (Morgan, 1993). C'est ainsi qu'aux premiers défilés de police, les femmes ont été reléguées dans des groupes à part : « Nous ne pouvions pas marcher avec les hommes parce que nos jambes étaient trop courtes, que nous étions trop petites et que nos casquettes étaient différentes. » (Bradburn, 1997, p. 130.)

Ces casquettes, qui ressemblaient à des chapeaux d'agentes de bord, ont disparu de l'uniforme féminin au cours des années 1990 dans la plupart des corps policiers à la demande des femmes (Bradburn, 1997). Et ce n'est que très récemment que les femmes ont pu obtenir des uniformes de maternité avec des étuis appropriés (Josiah, 1997).

La féminité

La féminité crée aussi un malaise. La GRC, par exemple, avait envisagé dans les années 1970 de faire porter l'arme de service des policières dans un sac à main. Les nouvelles policières ont vite réagi en faisant comprendre aux responsables que non seulement cette façon de faire n'était pas sécuritaire, mais qu'elle allait ainsi leur faire rapidement perdre toute crédibilité (Ostiguy, 1997).

Les manifestations de cette féminité au travail placent également les policières dans des créneaux où, parfois, la frontière entre ce qui est jugé approprié ou non est bien mince, comme cela fut souligné dans les rôles-pièges où les femmes peuvent vite se retrouver. Ainsi, les policières

> [...] sentent souvent qu'elles sont sur un terrain glissant où la frontière entre ce qui est permis et ce qui ne l'est pas en matière de féminité se traduit entre être « trop séduisante » ou pas assez. (Sims et autres, 1993, p. 153. Notre traduction.)

Toutefois, là également, au fur et à mesure que leur nombre augmente et qu'elles gravissent les échelons hiérarchiques, surtout dans les grands centres urbains, les policières commencent de plus en plus à conjuguer professionnalisme et féminité, à ne plus sacrifier l'un pour faire reconnaître l'autre.

Les policières lesbiennes

Les policières lesbiennes vivent une situation qui les oblige à développer des stratégies de survie dans une organisation non seulement masculine, mais hétérosexuelle (Burke, 1992, 1994a et b; Leinen, 1993; Woods, 1993). Le plus souvent, elles doivent supprimer toute manifestation de leur sexualité et mentir sur leur situation privée, supporter l'humour contre les femmes et les lesbiennes et demeurer toujours vigilantes de manière à préserver à la fois leur vie au travail et leur vie de couple (Sims et autres, 1993). Et la situation devient fort délicate lorsque le couple est formé de deux policières. Il en résulte un stress important lorsque cela se passe dans le secret.

Ces dernières années, toutefois, on constate qu'elles sont de moins en moins prêtes à garder le silence sur leur situation de couple. Ce qui amène ce dévoilement, d'une part, est que les policières lesbiennes sont moins menaçantes pour la culture policière que la réalité homosexuelle chez les policiers (Burke, 1994b; McCreary, 1994)[34]. D'autre part, les policières lesbiennes qui ont des liens avec des communautés lesbiennes ne vivent pas les mêmes tensions du fait d'être policière dans ce milieu que dans les communautés de gais où le fait d'être policier n'est généralement pas bien vu (Leinen, 1993).

Les relations amoureuses au travail

Dans les recherches, la question des relations amoureuses au travail est très peu abordée. Pourtant, dans maintes professions, les

---

34. Bien sûr, il y avait des relations homosexuelles avant l'arrivée des policières. Mais celles-ci se passaient dans la plus grande discrétion (Burke, 1992, 1994a et b). En Grande-Bretagne, au début de la décennie 1990, fut créée une association de policiers gais et lesbiennes; elle suscite toujours la controverse dans les milieux policiers et c'est clairement la présence de policiers homosexuels qui en est la source, beaucoup plus que celle de policières lesbiennes (Burke, 1992).

couples au travail sont de plus en plus nombreux et il y aurait toute une réflexion à faire à ce sujet relativement aux répercussions professionnelles :

> Les hommes et les femmes passent la plus grande partie de leur temps au travail et, dans les rapports interpersonnels, la venue de rapports amoureux est inévitable.

> Malgré cela, nous en savons très peu sur le climat de travail que cela suscite et les conséquences de ces relations amoureuses. Les organisations se retrouvent devant des situations de conflits d'intérêt et de favoritisme. Mais elles sont réticentes à intervenir sur des situations privées et préfèrent ignorer le problème ou agir au cas par cas pour les résoudre. Peut-être par prudence, les organisations choisissent d'intervenir uniquement si ces relations entravent le travail ou causent d'autres problèmes sérieux tels de l'inégalité de traitement entre les employés. Cette réticence des administrations à intervenir découle de la nature privée de ces situations et de la crainte d'un grief. (Anderson et Fisher, 1991, p. 164. Notre traduction.)

Les quelques recherches qui se sont penchées sur cette question indiquent que les femmes qui vivent ces relations amoureuses ne se perçoivent pas comme de pauvres victimes de harcèlement sexuel ; au contraire, elles peuvent en ressentir du plaisir et même du pouvoir dans leurs interactions avec leurs collègues masculins. La difficulté de la situation est davantage pour elles de garder ces relations amoureuses dans les limites qu'elles désirent (Alvesson et Billing, 1997). Ces limites sont importantes non seulement sur le plan privé, mais aussi sur le plan professionnel. Les risques de conséquences négatives sont plus élevés pour elles que pour les hommes, car la perception des motivations d'une relation amoureuse au travail est différente pour les hommes et pour les femmes, et en cas de conflits d'intérêts, leur peu de pouvoir au travail les rend plus vulnérables aux décisions qui peuvent s'ensuivre.

Les recherches sur les relations amoureuses au travail soutiennent que l'acceptation plus grande des femmes sur le marché du travail n'atténue pas la force des normes culturelles de l'organisation. Pour les hommes, une relation amoureuse au travail peut être considérée comme une conquête rehaussant son statut. Quinn explique que la perception des hommes dans ces relations amoureuses est qu'ils recherchent l'excitation, l'amélioration de leur image, et l'aventure sexuelle ; la femme est perçue comme étant à la recherche de gains organisationnels. Le résultat en est la désapprobation, le cynisme et l'hostilité de la part de ses collègues — sentiments que l'on ne dirige qu'à l'égard de la femme dans les relations amoureuses.

En fait, selon les études, il semble que c'est la femme qui risque le plus dans les relations amoureuses au travail. Le résultat est que c'est elle qui risque le plus d'être mise à la porte pour toutes sortes de raisons allant du fait qu'elle est au bas de la hiérarchie jusqu'à celles qui sont clairement sexistes, favorisant l'homme à la femme en cas de conflit. (Anderson et Fisher, 1991, p. 165-166. Notre traduction.)

L'organisation très rigide du travail dans la police, comme dans plusieurs organisations, trouve des exutoires lors de fêtes rituelles où les manifestations de sexualité sont plus fréquentes (Sims et autres, 1993). Il faut ajouter que l'isolement professionnel et les horaires rotatifs dans la police tendent à limiter les rencontres sociales à des personnes du même milieu. Enfin, le jumelage en patrouille à un(e) partenaire donne l'occasion aux policiers et policières de parler de leur vie pendant des heures et de partager des situations émotives où la confiance en l'autre est importante. Cette organisation du travail et cette culture professionnelle, combinées au fait que les policières arrivent relativement jeunes dans la police, contribuent à la fréquence élevée de relations amoureuses au travail qui peuvent aboutir à la formation de couples. Plus de la moitié des policières ont un conjoint policier (Linden, 1984 ; Ott, 1989 ; Walker, 1993).

Cette situation de couple, pourtant fréquente, n'a fait l'objet que de quelques enquêtes en milieu policier (Diotte, 2001; Lamarche, 1999; TNT, 1988). Celles-ci font ressortir que le premier problème identifié par les jeunes policières dont le conjoint est policier est celui de l'organisation du travail : les horaires brisés, les heures supplémentaires et la planification des congés basés sur l'ancienneté rendent difficiles les négociations pour maximiser le temps ensemble. Le second problème identifié est lié au cheminement de carrière : les situations de compétition avec le conjoint, lorsque la policière gagne en ancienneté, peuvent créer des tensions. Enfin, le troisième problème identifié, surtout chez les policières plus âgées, est la tendance du conjoint à privilégier la solidarité professionnelle masculine, plutôt que la solidarité avec sa conjointe, lorsque celle-ci veut faire valoir des besoins propres aux policières, ou encore soulever des questionnements sur le sexisme.

La situation devient particulièrement à risque lorsque le partenaire amoureux occupe un poste supérieur. Les gains des femmes dans les conditions de travail, leur performance et leurs succès sont plus aisément mis en doute par les collègues à cause du favoritisme dont elles auraient pu bénéficier (Anderson et Fischer, 1991; Lips et Colwill, 1993; P.Y. Martin, 1992). Comme les policières sont majoritairement au bas de la hiérarchie et que leur crédibilité professionnelle n'est pas toujours acquise, elles sont particulièrement vulnérables dans ces situations (Anderson et Fisher, 1991; Doss, 1990; Hunt, 1990; Summers et Myklebust, 1992).

Du côté des policiers, il y ceux qui veulent éviter ces relations amoureuses ou les rumeurs de relations amoureuses en s'abstenant de travailler avec des policières ou d'interagir amicalement avec elles. Cette situation peut avoir pour conséquence, par exemple, que la policière soit privée d'un mentor qui l'aurait guidée dans ses premiers pas dans la police.

L'organisation, de son côté, craint ces relations amoureuses au travail parce qu'elles peuvent en perturber le cours, créer un désordre potentiel dans l'organisation, ramenant la sphère « privée » dans la sphère « publique », sphères que l'on veut maintenir séparées (Alvesson et Billing, 1997). D'ailleurs, la patrouille mixte fut souvent refusée aux policières à leurs débuts par crainte des organisations de perturbations de travail à caractère sexuel et par crainte des femmes de policiers de perturbations dans leur vie de couple (Linden, 1984 ; Marc-Aurèle, 1997 ; TNT, 1988 ; Young, 1991). Des problèmes plus techniques se posent également comme, par exemple, la présence d'un couple policier lors d'un témoignage au tribunal :

> En prenant connaissance récemment d'un avis juridique sur le cas d'un couple travaillant dans le même véhicule de patrouille, la police de Québec a découvert que la règle de preuve du Code pénal, qui dit qu'aucun des conjoints ne peut être contraint de divulguer une communication faite par l'autre conjoint durant le mariage, s'applique aussi aux policiers de service. Voilà qui affaiblit n'importe quel témoignage de policiers conjoints susceptible de faire condamner un suspect.
>
> À Québec, jusqu'à tout récemment, un couple marié patrouillait dans le même véhicule. Mais cette politique n'est plus encouragée. « Pour une question de prudence et de principe », explique le directeur Normand Bergeron. (*Le Droit*, 1989, jeudi 9 février, p. 39.)

Le malaise à l'égard de la nouvelle problématique des couples policiers ne touche pas que les organisations policières. Les syndicats, eux aussi, ont eu du mal à intégrer cette nouvelle réalité, particulièrement sur la question des accommodements dans l'organisation du travail :

> En effet, dans plusieurs cas les conjoints posséderont une ancienneté différente, ce qui imposera des contraintes sur le plan du

choix des jours de vacances ou des heures de travail. Étant donné les particularités des quarts de travail, deux conjoints pourraient, à la limite, se trouver dans une situation où ils n'auraient pratiquement jamais l'occasion d'être ensemble. De plus, ces difficultés seront accentuées dans le cas de la mutation de l'un des conjoints travaillant pour un corps policier provincial. (Bisaillon et Durivage, 1991, p. 135.)

À la GRC, corps de police fédéral, la question des mutations s'est rapidement posée. Jusqu'aux années 1980, le mariage constituait l'une des raisons majeures pour quitter la GRC.

Cinquante pour cent des policières étaient mariées à d'autres membres de la GRC et cela conduisait à des problèmes quand ils étaient attachés à des services différents. (Linden et Fillmore, 1993, p. 100. Notre traduction.)

Maintenant,

[…] les couples mariés doivent être mutés par paire, et l'avancement d'un agent sur le point d'être promu risque d'en souffrir. […] À cet égard, Maguire estime que le problème des doubles carrières dans la GRC fait simplement partie d'un problème plus vaste dans la mesure où bien des épouses ne travaillant pas dans la GRC ont une carrière susceptible de peser sur la décision de leur mari. (Linden, 1984, p. 114.)

En d'autres termes, il y a ici toute une réflexion à faire sur la place de la famille dans ces mutations. Nous ne sommes plus à l'époque de la femme à la maison suivant passivement son mari dans ses diverses mutations. Le plus souvent, elle aussi a un travail qui lui tient à cœur. À cet effet, les revendications des policières à la GRC sont claires :

Lorsque les deux conjoints sont agents, la politique de transfert devrait permettre aux deux agents d'aller aux entrevues d'affectation de personnel et aux entrevues de dotation de personnel. Les agents ont aussi besoin de savoir pendant combien de temps ils seront séparés. Les affectations devraient être annoncées dans un délai de six mois et les réinstallations physiques des deux agents dans un délai d'un an. Les couples formés de deux agents et ayant des enfants de moins de douze ans devraient pouvoir choisir d'occuper des postes de jour. (*Pony Express*, janvier 2000, p. 32-33.)

De toute évidence, les politiques organisationnelles de la police devront prendre en compte le fait que la famille du policier ou de la policière n'est plus un élément secondaire lors de certaines décisions dans sa vie professionnelle. Et la famille n'est pas qu'affaire de femmes[35]. La grande fréquence des couples policiers est connue par les organisations policières qui commencent à mettre en place des politiques permettant de mieux répondre à ses incidences professionnelles (Diotte, 2001). Clairement, elles ont compris qu'elles ne peuvent plus éviter la question des répercussions professionnelles des couples policiers dès que le nombre de policières augmente dans leur service.

Stéréotypes sexistes et exclusion

L'exclusion silencieuse

Les comportements non verbaux jouent un rôle important dans le maintien des rapports de pouvoir entre les sexes (Préjean, 1994). Par exemple, les postures et les mouvements du corps sont plus restreints chez les femmes dans notre culture occidentale, si celles-ci veulent préserver leur dignité.

---

35. Nous reviendrons sur cette question au chapitre VII.

Débutons par quelques exercices pratiques destinés aux hommes :

1. Asseyez-vous sur une chaise droite. Croisez vos jambes en posant vos chevilles l'une par-dessus l'autre et gardez vos genoux pressés l'un contre l'autre. Essayez de le faire lorsque vous avez une conversation avec quelqu'un, mais soyez toujours préoccupés de garder vos genoux bien serrés.

2. Penchez-vous afin de ramasser un objet sur le plancher. Chaque fois que vous vous pencherez, pensez à plier vos genoux de sorte que votre postérieur ne demeure pas élevé, et placez une main sur le devant de votre chemise afin de la maintenir contre votre poitrine. [...]

Si ces postures paraissent incongrues lorsque présentées comme si elles étaient effectuées par des hommes, c'est bien parce que s'y révèlent l'écart différentiel et l'opposition entre le registre corporel féminin et le registre corporel masculin. [...] Les mouvements, gestes et postures décrits ci-dessus contribuent également à donner l'impression d'une infériorité de cette personne chez celles qui l'observent. (Préjean, 1994, p. 115-116.)

Même si les policières portent l'uniforme, leur gestuelle ne peut être la même qu'un collègue masculin si elles veulent préserver leur dignité.

L'usage de l'espace interpersonnel s'inscrit également dans les relations de pouvoir entre les sexes. Selon les études, les femmes cèdent davantage le passage que les hommes lorsque leur espace est envahi. De plus, cet espace privé est moins respecté. Et les tabous à l'égard du toucher en Amérique du Nord viennent en colorer la signification, le toucher ayant une forte connotation de sexualité :

Toucher et être touché sont également des moyens d'invasion de l'espace personnel, et l'on peut considérer que ces gestes sont liés à la déférence accordée, ou non, à l'espace entourant un corps.

Aussi est-il demandé aux femmes d'accepter comme un comportement normal les violations quotidiennes de leur personne. Par contre, lorsqu'elles agissent de la sorte en envahissant l'espace personnel d'un homme ou si elles initient un geste de toucher envers un homme, il est fort probable que ce geste sera interprété comme l'expression d'un désir sexuel. (Préjean, 1994, p. 125.)

Les regards traduisent aussi ces rapports de pouvoir :

Par exemple, le fait d'établir de nombreux contacts visuels est caractéristique des personnes qui doivent rechercher une approbation chez les autres. Ainsi, regarder pour une femme n'est pas qu'un moyen d'exprimer une émotion, cela peut aussi lui permettre d'obtenir une réplique de la part des hommes afin de se rassurer sur la pertinence d'un comportement. Enfin, l'information visuelle peut avoir une plus grande valeur pour les femmes, puisque celles-ci sont exclues de certains réseaux d'information. (Préjean, 1994, p. 122-123.)

Il y a également le sourire chez les femmes qui est fortement associé à la beauté ; une femme qui ne sourit pas est aisément considérée comme « déviante », car « le rôle socialement prescrit aux femmes […] commande un comportement chaleureux et complaisant dans les rencontres publiques » (Préjean, 1994, p. 128).

L'exclusion verbale et le harcèlement sexiste

Les études ont montré la fausseté du stéréotype voulant que les femmes parlent plus que les hommes. La réalité est que la parole des femmes a moins de valeur, considérant leur « émotivité » (Kelly, 1997 ; P.Y. Martin, 1992 ; van Nostrand, 1993). C'est ainsi qu'à l'intérieur d'un groupe,

[…] les personnes qui veulent dominer les autres les interrompent plus souvent et, lorsqu'elles parlent, elles ne permettent pas d'être elles-mêmes interrompues par des « inférieures ». Plusieurs études confirment que les femmes se font interrompre plus souvent que les hommes. [...]

> Les femmes sont perçues comme étant plus émotionnelles lorsqu'elles s'expriment, ce qui, selon le code qui régit les rapports des sexes, signifie qu'elles sont moins rationnelles, et elles sont également prises moins au sérieux lors de discussions en groupe. (Préjean, 1994, p. 129-130.)

De plus, le vocabulaire utilisé pour communiquer au travail reflète souvent les expériences et les intérêts culturels des hommes, et ce, surtout dans un milieu traditionnellement masculin comme la police. Les policières s'inscrivent plus difficilement dans ces référents qui ne sont pas les leurs, mais s'excluent en utilisant d'autres référents. Les référents qui dominent ont trait au sport (marquer un but, un bon plan de « match », une bonne ligne de défense, etc.), au sexe (il a des couilles, c'est une « tapette », etc.), et au domaine militaire (champ de bataille, ligne de tir, préparer l'artillerie lourde, etc.).

> Que ce soit intentionnel ou non, le vocabulaire relié aux sports, au domaine militaire ou à la sexualité tisse des liens de solidarité entre les hommes, solidarité dont nombre de femmes se sentent exclues. (Wood, 1994, p. 283. Notre traduction.)

Les stéréotypes sur l'incapacité des femmes à contrôler leurs émotions ou à garder un secret peuvent également les exclure de la solidarité masculine. La policière respectera-t-elle la loi du silence lorsqu'un collègue fera un écart professionnel ? Ou encore saura-t-elle couvrir les excuses d'un collègue qui, au nom d'obligations fictives au travail, évite d'être présent à la maison pour faire des sorties en cachette ou encore qui trompe sa conjointe ? Peut-on faire confiance à une policière qui rencontre les membres de la famille d'un collègue pour que celle-ci maintienne l'image de danger qu'il projette de sa profession même si cela ne correspond pas à la réalité (Hunt, 1990)?

Cette méfiance peut se traduire par une moins grande réceptivité à l'expression de leurs idées et de leurs besoins, des silences en leur présence, ou encore des exclusions des réseaux non officiels au travail (Padavic, 1991 ; Padavic et Reskin, 1990 ; Walker, 1993). C'est cher payer, car ces réseaux peuvent procurer un soutien important au travail et même de l'information précieuse qui ne circule pas dans les réseaux officiels (Wood, 1994).

Les stéréotypes qui génèrent l'exclusion de la solidarité masculine peuvent également avoir un autre exutoire : le harcèlement sexiste. Cette forme de harcèlement est celle dont les policières se disent le plus souvent victimes dans les enquêtes, c'est-à-dire la répétition de stéréotypes humiliants qui dévaluent leur capacité et nient l'importance de leur parole (Brewer, 1991 ; Byers, 1997 ; Marc-Aurèle, 1997 ; Walker, 1993)[36]. Son véhicule le plus fréquent est l'humour (Collinson, 1992 ; Mackie, 1990 ; Sims et autres, 1993).

Le harcèlement sexiste à travers des blagues continuelles mettant en doute la compétence des femmes est si fréquent dans la police que la majorité des policières considèrent que ça fait partie intégrante du travail et qu'il vaut mieux l'ignorer (Ott, 1989 ; Walker, 1993). Il faut dire que le véhicule usuel de ce harcèlement, l'humour, limite la capacité des policières de pouvoir y réagir (Hemmasi et autres, 1994 ; Mackie, 1990). D'une part, si elles s'en offusquent, elles risquent l'exclusion au nom de leur faible sens de l'humour ; d'autre part, si elles ne disent rien, ou encore y prennent part pour montrer qu'elles sont solidaires du groupe, elles encouragent les policiers à continuer. Pourtant, le même humour

---

36. C'est également ce dont se plaignent le plus les gardiennes de prison du Service correctionnel canadien de l'Ontario (Henriksen, 1993).

utilisé sur le compte des policiers, laissant sous-entendre à répétition leur incompétence professionnelle du fait de leur sexe, se retournerait vite contre elles. Elles le savent. L'humour des femmes ridiculisant les hommes ne se fait généralement pas en leur présence (Barber, 1992 ; Mackie, 1990 ; Schnock, 1993).

Le harcèlement sexiste a un effet dévastateur. Répété jour après jour, il enferme les policières dans des stéréotypes qui confirment leur incompétence et justifient leur discrimination ou leur exclusion (Mackie, 1990 ; Young, 1991).

Cela signifie-t-il qu'il soit impossible de taquiner une policière, car le contexte des rapports inégalitaires transforme automatiquement cet humour en harcèlement sexiste ? Bien sûr que non. En fait, l'humour est essentiel à la qualité des relations de travail. Toutefois, l'humour peut également manifester un rapport de forces entre les personnes. Trois facteurs jouent un rôle prioritaire dans l'interprétation de l'humour en tant que harcèlement sexiste chez les femmes : leur sensibilité à la question du sexisme, la fréquente répétition des blagues et commentaires sexistes, et le statut d'autorité de l'homme pratiquant cet humour. L'humour sexiste provenant d'un supérieur est davantage perçu par les femmes comme un abus de pouvoir ; pour elles, ce supérieur utilise une façon détournée de souligner leur incompétence professionnelle en général ou dans certaines fonctions et communique à ses collègues le peu de validité de ses revendications (Bill et Nauss, 1992 ; Hemmasi et autres, 1994 ; Mackie, 1990). L'arrivée des policières dans un milieu de travail où subsistent encore des résistances à leur présence peut aisément faire en sorte que l'humour devienne un exutoire à la manifestation de ces résistances (Brewer, 1991).

Les policières ne peuvent-elles répondre à l'humour par l'humour dans ce contexte ? Les femmes en général sont la cible dans une situation où les hommes font de l'humour, ce qui ne rend pas la réplique aisée. Chez certaines policières qui savent en user, l'humour est un outil précieux pour négocier les tensions et leurs émotions avec les collègues. Toutefois, elles doivent en mesurer l'impact avec précaution, car leur humour est plus aisément interprété comme de l'insubordination ou du dénigrement, particulièrement si l'auditeur est un supérieur hiérarchique. Dans la police, il y a l'avantage que les grades sont bien visibles à l'épaule (Ott, 1989). D'autres policières choisissent l'isolement lorsque cet humour devient trop agressant. Cet isolement peut leur coûter cher. Par exemple, au lieu de bénéficier de la solidarité des collègues en cas d'erreur de novice, la policière risque davantage d'être dénoncée ou encore de ne pas être « couverte » lors d'une enquête où les policiers expliqueront à leur aise que l'on a voulu engager des femmes... et en voici le résultat (Martin, 1987).

Le harcèlement sexuel

Que ce soit dans les discussions à la cantine, par les graffitis dans les toilettes ou les photos à caractère sexuel dans les vestiaires, la sexualité au travail existait avant l'arrivée des policières. L'arrivée des policières ne l'a pas introduite, mais leur simple présence en a interrogé les manifestations.

Les manifestations de la sexualité des hommes et des femmes sont souvent différentes, car culturellement leurs anxiétés sur leur identité sexuelle diffèrent ; si les hommes sont généralement plus anxieux de leur virilité, les femmes sont plus anxieuses de leur capacité de séduction (Alvesson et Billing, 1997 ; Sims et autres, 1993). De ces anxiétés différentes découlent des univers de fantaisies, de désirs, de tabous et de discours sur la sexualité entre les hommes et les femmes qui non seulement se distinguent, mais n'ont pas le même poids dans une culture organisationnelle traditionnellement masculine. Cette culture vient légitimer et privilégier certaines manifestations de la sexualité masculine au détriment des femmes. L'une d'entre elles est le harcèlement sexuel, dont les études s'entendent à reconnaître que la fréquence est plus élevée dans un milieu de travail tradition-nellement masculin (Alvesson et Billing, 1997 ; Anderson, 1993 ; Lips et Colwill, 1993).

Mais qu'est-ce que le harcèlement sexuel ? Où commence-t-il ?

Certains comportements sont clairement identifiés en tant que harcèlement sexuel par les femmes qui en sont victimes : le viol, les agressions physiques, le chantage en matière de sexualité comme condition à une promotion ou à d'autres privilèges. Pour ce qui est d'autres comportements tels qu'une familiarité phy-sique excessive, des compliments intimes à répétition, des propos sexuels très explicites, des commentaires évaluatifs du corps féminin à propos des canons de la beauté, des expositions à du matériel de nature sexuelle, etc., les femmes sont plus sujettes à les interpréter comme du harcèlement sexuel s'ils proviennent d'un supérieur (Barr, 1993 ; Bingham et Scherer, 1993 ; Brow et Davies, 1994 ; Ellis et autres, 1991 ; Lips et Colwill, 1993 ; P.Y. Martin, 1992 ; McCulloch et Schetzer, 1993 ; McKinney et Maroules, 1991 ; Sheffey et Tindale, 1992 ; Walker, 1993). Avec les collègues, c'est la zone grise où les femmes qui vivent ces situa-tions et les hommes qui commettent ces gestes ne les interprètent pas nécessairement comme du harcèlement, considérant le caractère plus ambigu de la signification de ces comportements. Celles qui se sentent harcelées dans ces circonstances n'osent pas en parler et encore moins porter plainte, car l'appui de leurs collègues **tant masculins que féminins** ne leur est pas assuré (Barak et autres, 1992 ; Collier, 1995 ; Popovich et autres, 1992 ; Schnock, 1993 ; Tata, 1993 ; Zanin, 1999b). C'est que l'interprétation d'un com-portement comme étant du harcèlement sexuel varie selon l'acte, le contexte, le statut dans l'organisation, la culture sociale et la personnalité de la personne qui en est victime (Barak et autres, 1992 ; Barr, 1993 ; Bingham, 1994 ; Campbell, 1994 ; Ellis et autres, 1991 ; McKinney et Maroules, 1991).

Que peut faire l'organisation en matière de harcèlement sexuel ?

Le Code canadien du travail demande que tous les employeurs aient une politique contre le harcèlement sexuel. Dans les services de police canadiens, ces dernières années, la majorité des corps policiers se sont dotés de ce type de politique. Comment les policières les perçoivent-elles ? Selon l'enquête de Walker (1993), elles jugent importante l'existence d'une telle politique dans leur milieu. Toutefois, cette importance ne découle pas du fait que l'organisation pourra régler des conflits interpersonnels en la matière. Elle vient du fait qu'elle accroît la sensibilité sur ces questions et permet aux femmes d'en parler ouvertement ou dans un lieu sécuritaire, sans risques de sanctions ou de perte de leur crédibilité. Quand le harcèlement provient d'un collègue policier, briser le silence n'est pas facile s'il n'y a pas un appui organisationnel adéquat pour une politique contre le harcèlement sexuel ; la solidarité policière entre en jeu. La policière cherchera alors à éviter toute démarche qui peut accentuer son exclusion en portant plainte sur un comportement qui n'est pas nécessairement dénigré par ses collègues, ou en tout cas moins qu'un bris de « l'esprit de corps » tant valorisé dans la culture policière (Collinson, 1992 ; Fielding, 1994).

Quant aux policiers, selon cette même enquête, 57 % appuient la présence d'une politique en cette matière, les autres la percevant davantage comme une source de conflits entre les hommes et les femmes, ou encore une source potentielle d'abus de la part des femmes :

> Certains croyaient que les politiques relatives au harcèlement ne faisaient que creuser le fossé entre les sexes et qu'elles risquaient

de donner lieu à des plaintes banales et de susciter la méfiance, l'aliénation du personnel, la manipulation et des entraves à la liberté d'expression. Un certain nombre de répondants ont dit qu'il n'était pas nécessaire d'avoir une politique interne étant donné qu'on pouvait invoquer les dispositions du Code criminel. Des répondants estimaient que l'influence exercée par des groupes défendant des intérêts particuliers (par ex., groupes féministes marginaux) était à l'origine de cette initiative, et émettaient des critiques à ce sujet. (Walker, 1993, p. 118-119.)

Concernant plus spécifiquement une procédure interne de traitement des plaintes rattachée à cette politique, cette fois, même les policières y sont peu réceptives, car elles redoutent les représailles de la part de leurs collègues masculins à la suite d'une plainte, ou ne sont pas sûres qu'elles seront prises au sérieux (Walker, 1993 ; Zanin, 1999b). Les policières en début de carrière, encore très dépendantes de leurs collègues et supérieurs masculins, osent encore moins parler de ces situations, ou encore porter plainte, et ce, même au regard de comportements moins ambigus.

Les enquêtes indiquent clairement que c'est de la part de leur supérieur hiérarchique qu'elles subissent le plus de harcèlement sexuel, et dont elles craignent le plus la victimisation secondaire. Cette situation de pouvoir rend la réplique non seulement très difficile, mais a également comme conséquence de cautionner ce type de comportement chez leurs collègues masculins (Brewer, 1991 ; Brown et Davies, 1994 ; McCullock et Schetzer, 1993 ; TNT, 1988).

La perception positive des policières en ce qui a trait à l'implantation d'une politique contre le harcèlement, et négative de l'implantation de procédures internes de plaintes, n'est pas contradictoire. Ce que représente une politique contre le harcèlement aux yeux des policières est l'appui de l'organisation pour prévenir ces comportements. De plus, elle accroît leur capacité d'exprimer ce qu'elles ressentent quand un incident survient et même de réagir individuellement au harceleur, en diminuant les risques d'exclusion ou de victimisation secondaire (Foster et Poole, 1994). Ce que représentent les procédures internes de plaintes est, au contraire, une augmentation des risques d'exclusion ou de victimisation secondaire.

Deux autres facteurs augmentent les possibilités de harcèlement sexuel des policières et diminuent leurs possibilités de porter plainte : la compétition avec les hommes pour une promotion et les relations amoureuses au travail. Ces deux facteurs atténuent la crédibilité d'une plainte de harcèlement sexuel au travail par ceux qui la reçoivent, particulièrement des hommes, si la victime et l'agresseur étaient en compétition pour une promotion, et s'il y avait des rapports amoureux antérieurs entre eux (Summers, 1991 ; Summers et Myklebust, 1992). Rappelons-le, plus de la moitié des policières ont un conjoint policier. Cela implique également que plusieurs relations amoureuses n'ont pas duré, ou encore que des relations de couple entre policiers et policières n'ont pas toujours connu une fin heureuse. Mettre fin à une relation amoureuse au travail est particulier. Les ex-conjoints peuvent avoir à continuer de travailler ensemble tout en éprouvant des difficultés importantes à communiquer, et ce, surtout si la rupture n'était pas mutuelle. Cette situation peut conduire à du harcèlement sexuel (Summers et Myklebust, 1992).

Bien sûr, si les policières portent rarement plainte pour harcèlement sexuel, il y a risque que les organisations minimisent ce problème (Riger, 1993). À cet égard, une enquête menée auprès des chefs de police au Nouveau-Brunswick indique que plusieurs d'entre eux ne comprennent pas

[...] en quoi consiste le harcèlement au travail, les obstacles structurels et personnels qui empêchent la résolution informelle de conflits et le rôle de la direction en ce qui concerne la prévention du harcèlement au travail. (Byers, 1997, p. 29.)

Ou encore, lorsqu'il existe des politiques de suivi des plaintes, plusieurs chefs de police ne comprennent pas que les policières ne les utilisent pas plus souvent :

> Nos policières devraient apprendre à s'affirmer davantage, à forcer les barrières, à répliquer aux attaques verbales ou autres, à ne pas tolérer le manque de respect et toute forme de harcèlement.

> Nos policières devraient utiliser les moyens d'action prévus à cette fin par l'employeur et par leur syndicat. (Marc-Aurèle, 1997, p. 187.)

Ils ne comprennent pas que la décision des policières de réagir ou pas à du harcèlement sexuel en disant ouvertement ce qu'elles en pensent à leur agresseur ou en portant plainte ne repose pas uniquement sur la perception de l'acte posé et l'existence de procédures internes de plaintes.

> Du fait de leur socialisation de femme d'une part, de leur position inférieure dans la hiérarchie sociale et professionnelle d'autre part, les femmes ne disposent guère de la compétence ni du pouvoir de sanctionner négativement le comportement indésirable des hommes. En déduire que celui-ci est inoffensif et anodin signifie que l'on passe sous silence les difficultés des femmes à se défendre et qu'on dissimule le caractère agressif de ce comportement. (Schnock, 1993, p. 270.)

C'est en tenant compte de la situation des policières dans leur milieu que Walker (1993, p. 212) en arrive aux recommandations suivantes en matière de harcèlement sexuel :

— Formuler un énoncé de politique sur le harcèlement sexuel et établir une procédure assurant que ce type de harcèlement est bien considéré comme une infraction indéniable à la discipline.

- Donner à tous les superviseurs une formation en cours d'emploi au sujet de la politique et de l'importance de l'appliquer.
- Proposer des moyens nouveaux et officieux de régler les problèmes de harcèlement sexuel.
- Assurer un soutien aux victimes.

Trouver des moyens nouveaux et officieux de régler les cas de harcèlement n'est pas facile, étant donné qu'il faut préserver les objectifs de prévention et de soutien adéquat aux policières qui en sont victimes[37]. Prenons, à titre d'exemple, un policier et une policière qui forment une équipe de patrouille. Cette dernière, qui a subi de la part de son coéquipier du harcèlement sexuel, demande à son supérieur de ne plus travailler en équipe avec lui. Sans une plainte officielle, que peut faire le supérieur pour justifier une modification des rotations de tâches ? Que peut-il faire pour éviter que la policière ne soit retirée de la patrouille et pénalisée par des discriminations de tâches ? Que faire pour que la policière qui ne peut pas ou ne veut pas dévoiler les raisons d'un changement de tâches au travail, ne soit pas perçue par ses collègues comme bénéficiant de privilèges spéciaux ? Sans une plainte officielle, il y a de bonnes chances que son coéquipier demeure en poste. Et qu'en est-il du message de prévention générale du harcèlement sexuel au travail dans un contexte où tout est « réglé » en coulisse ?

> Même si les femmes préfèrent les mécanismes informels, ceux-ci demeurent problématiques pour plusieurs raisons. Parce qu'ils ne résultent pas en conséquences négatives pour les harceleurs, ceux-ci peuvent continuer à harceler. [...]

---

37. Voir aussi, sur la question, McMahon (1999), livre qui porte sur des cas d'agressions sexuelles vécues par les gardiennes de prison.

La confidentialité généralement requise dans les procédures de plainte empêche également d'autres victimes de savoir qu'une plainte a déjà été logée contre une personne. [...]

Et le plus problématique est la présomption que dans des procédures informelles, la plaignante et le harceleur ont un pouvoir égal pour résoudre le conflit. Cette situation risque de placer la femme en situation désavantageuse. [...]

Quand le harceleur a plus de pouvoir que la plaignante, celle-ci est plus vulnérable aux représailles. (Riger, 1993, p. 221-222. Notre traduction.)

Cette situation crée beaucoup de stress chez les policières victimes de harcèlement sexuel (Brown et Campbell, 1994 ; Kerr, 1999 ; Oligny, 1990). C'est pourquoi il y a urgence d'un appui organisationnel qui ne se réduise pas à un bureau de plaintes assorti de procédures de sanctions. Des mesures actives de prévention doivent être prises pour réduire le harcèlement sexuel au travail (Hale et Menniti, 1993 ; Hansen, 1993 ; McKinney et Maroules, 1991 ; Riger, 1993 ; Unger et Crawford, 1992 ; Wilson, 1991)[38]. Et la « zone grise » des comportements pouvant être ressentis comme du harcèlement sexuel « exige que les organisations définissent des politiques fondées sur des discussions consciencieuses avec leurs employés » (Dzeich et Hawkins, 1994, p. 11).

---

38. Aux États-Unis, la tendance à privilégier la judiciarisation de ces comportements est appuyée par de nombreuses féministes, s'appuyant entre autres sur McKinnon (1979). Mais cette position ne fait pas l'unanimité et les débats sont encore nombreux sur cette question (Collier, 1995 ; Minson, 1991), et ce, d'autant plus que les études indiquent que les plaintes judiciarisées sont souvent rejetées ou encore aboutissent peu à des sanctions (Carter Collins, 2004).

Conséquences de l'exclusion

Si un réseau non officiel horizontal et vertical à l'intérieur de l'organisation est fondamental pour améliorer ses sources d'information et le soutien dans les prises de décisions, un réseau non officiel à l'extérieur de l'organisation l'est tout autant pour atteindre ces objectifs. La participation à ce réseau extérieur comprend les repas, les sorties sportives, les rencontres dans les bars où se discutent les stratégies, s'élaborent les jeux de pouvoir et se bâtissent des amitiés. Ces amitiés se créent d'autant plus dans ces rencontres sociales entre policiers que la culture policière les amène à se replier sur des gens dans la profession, même dans les réseaux hors du travail. Ces amitiés se répercutent au travail dans les petits services, les « tuyaux », etc. (Martin, 1987).

Les policières ont beaucoup plus de difficulté à s'inscrire dans ces réseaux non officiels, car il y a plusieurs de ces activités que les policiers aiment faire « entre hommes », et où on ne les invite pas. Mais également, les policières ont tendance à s'exclure elles-mêmes de plusieurs de ces rencontres pour éviter les rapports à connotation sexuelle qui pourraient s'y établir (Hunt, 1990 ; Martin, 1987 ; Walker, 1993). Cela vaut même pour les rencontres individuelles. Une policière qui, par amitié, par besoin de se confier, invite un collègue ou un superviseur à prendre un verre, comme le ferait un policier dans la même situation, est aisément soupçonnée de faire des avances sexuelles, et ce, d'autant plus si c'est un supérieur hiérarchique.

Enfin, comme nous allons maintenant l'aborder, on considère que les femmes doivent avant tout allégeance à leur famille. Une policière mère de famille, qui, comme un homme également père de famille, participerait à ces rencontres, serait considérée comme une mauvaise mère, ce qui la dévaluerait aux yeux des collègues. Quant aux policières monoparentales, la participation à ce réseau non officiel n'est souvent même pas une option.

CHAPITRE VI

Policière et
« reine du foyer »

La conciliation travail-famille n'est pas un problème ici parce qu'il n'y a aucune femme dans notre compagnie. (Réponse d'un cadre à un questionnaire d'enquête sur le sujet par Andrews et Bailyn, 1993, p. 262.)

Tant que les hommes refuseront d'assumer certaines responsabilités (tâches domestiques, éducation des enfants, etc.) qui incombent aux femmes en raison de leur sexe et des stéréotypes qui y sont rattachés, celles-ci ne pourront s'investir dans leur profession que de manière restreinte, et ne jouiront pas de la même liberté de manœuvre. (Synthèse d'interventions sur le sujet dans les *Actes du colloque sur la femme policière, S'unir pour grandir ensemble*, 1999, p. 80.)

Une recherche abondante s'est intéressée au double rôle des femmes au travail ; il en ressort que celles-ci continuent d'assumer non seulement le rôle principal dans les soins aux enfants, mais également dans les tâches domestiques, car l'activité des femmes sur le marché du travail a peu remis en cause les attentes sociétales à l'égard de leur rôle familial et domestique. La conséquence en est que le soutien étatique permettant de diminuer les difficultés de gardiennage et de gestion du temps chez les couples qui travaillent demeure inadéquat, et ce, d'autant plus que les heures des services communautaires et institutionnels (surtout l'école) demeurent relativement peu flexibles au regard de cette situation (Baber et Allen, 1992 ; Baudoux, 1992).

En milieu de travail, ces attentes sociétales à l'égard des femmes se sont traduites par un profil de carrière « idéal » qui repose essentiellement sur une grande disponibilité de l'employé (masculin) dans l'organisation du travail, disponibilité rendue possible par la non-interférence des préoccupations familiales (féminin). Comment se fait-il que le nombre croissant de femmes à assumer une carrière ces dernières années n'ait pas davantage changé ce profil « idéal » ?

La division public/privé

La situation des femmes professionnelles dont le salaire ne constitue plus un appoint au salaire du mari, mais bien un revenu essentiel au bien-être familial devrait remettre en question le stéréotype classique de « l'homme pourvoyeur » et de la « femme, reine du foyer ». Ce n'est pas le cas. C'est qu'institutionnellement, le peu d'aide à la famille pour diminuer les difficultés de gérer famille et carrière se fonde sur la notion que la gestion familiale relève du privé[39].

Cette division entre la sphère publique et la sphère privée provient de l'idéologie voulant que, par leur biologie, l'homme pourvoyeur et la femme « reine du foyer » œuvrent dans des sphères séparées, mais égales. En d'autres termes, la capacité de procréer des femmes les rend « naturellement » responsables du bien-être familial, et ce rôle serait égal à celui de pourvoyeur des hommes.

---

39. La distinction public/privé dans la loi vient renforcer les fondements de cette distinction politique, sociale et économique (Goodall, 1990).

Mais ces rôles de pourvoyeur et de responsable du bien-être familial sont-ils vraiment égaux comme cette idéologie le prétend ? La difficulté de répartir de manière égalitaire les tâches familiales et les soins aux enfants lorsque la femme a le même engagement professionnel que son conjoint indique bien que si l'une gagne en reconnaissance sociale et économique par ses responsabilités professionnelles, le conjoint en gagne peu par un meilleur partage des responsabilités familiales et domestiques (Abbott et Wallace, 1990 ; Andrews et Bailyn, 1993 ; Baber et Allen, 1992 ; Calasanti et Bailey, 1991).

Cette idéologie des sphères séparées publique/privée alimente également l'idée que si les femmes demeuraient à la maison et répondaient à leur rôle « biologique », les difficultés que peuvent connaître actuellement les familles seraient atténuées (Andrews et Bailyn, 1993 ; Baudoux, 1992 ; Brannen et Moss, 1991 ; Kemp, 1994 ; McDaniel, 1993). De plus, elles ne perturberaient pas le milieu de travail en réclamant des ajustements pour assumer leurs responsabilités familiales. Par ces revendications, les femmes au travail qui ont une famille, surtout celles qui ont de jeunes enfants, sont souvent perçues comme moins engagées professionnellement, étant donné leur allégeance familiale. La grossesse même des femmes, dans ce contexte, est une « interférence » visible du privé au travail qui gêne, particulièrement en milieu traditionnellement masculin (Landry, 1990b ; Martin, 1992 ; Nock et Kinston, 1990).

Dans cette idéologie des sphères séparées, ces craintes quant à l'allégeance familiale des femmes ne sont pas transposées aux hommes, même pères de jeunes enfants. Au contraire. L'arrivée d'une famille dans leur cas signifie pour l'employeur une plus grande allégeance professionnelle, par leur responsabilité croissante en tant que pourvoyeur. C'est l'employé « idéal » qui se profile, prêt à travailler des heures supplémentaires, si nécessaire, à voyager, à placer les intérêts au travail avant les intérêts personnels (Allen, Russell et Rush, 1994). Ces attentes professionnelles sous-entendent que le travail des femmes à la maison permettra à ces employés de s'investir davantage dans leur carrière que des employés sans responsabilités familiales. L'idéologie de la séparation des sphères publique et privée camoufle le fait que la sphère du travail payé — surtout masculine, s'appuie sur la sphère du travail non payé — surtout féminine[40] (Andrews et Bailyn, 1993 ; Baber et Allen, 1992 ; Baudoux, 1992 ; Cook, 1992b ; Daune-Richard et Devreux, 1992).

Ainsi, affirmer « garder le souci de sa famille au travail joue négativement pour les femmes et positivement pour les hommes » (Baudoux, 1992, p. 109). À cet effet, des enquêtes auprès d'étudiantes et étudiants universitaires concernant les conflits famille-carrière indiquent que **tant chez les hommes que chez les femmes,** on hésiterait à confier un poste important à une femme avec des enfants en bas âge, mais pas à un homme dans la même situation, et ce, même si les deux sexes réclamaient de meilleures politiques institutionnelles et organisationnelles pour mieux gérer ces conflits. Ce résultat est révélateur de l'ambivalence encore existante sur la question des rôles sociaux touchant à la paternité et à la maternité (Covin et Brush, 1991 ; Daune-Richard et Devreux, 1992).

Cette idéologie fait ainsi en sorte que les femmes qui ont une famille à charge et qui font partie de ménages non seulement à double salaire, mais à double carrière, doivent inscrire leur cheminement professionnel dans un milieu institutionnel et organi-

---

40. Ce travail non payé, au Canada, selon un calcul de Meissmer (1991), constituerait un apport économique invisible d'environ 37 % des heures travaillées comparativement aux heures travaillées dans l'économie visible. Voir aussi les études néerlandaises sur l'apport économique et social du travail non payé à la maison dans Tijdens, van Doorne-Huiskes et Willemsen (1997).

sationnel qui s'attend également à ce que ce soit à elles surtout que reviennent les tâches familiales et domestiques. Il va sans dire que ce double rôle de gestion du travail et de la famille est encore plus lourd à porter chez les femmes monoparentales.

Cette idéologie des rôles séparés se répercute également dans le couple, par le partage inégal des tâches familiales et domestiques. L'homme, répondant à l'idéologie économique des sphères séparées, a tendance à concevoir sa performance idéale au travail en dehors des données familiales. Il accepte plus aisément la grande disponibilité demandée par l'employeur pour répondre à son rôle de pourvoyeur. Les interférences familiales sont alors davantage vécues comme des perturbateurs de sa performance au travail, de son image d'employé vouant une allégeance adéquate à son employeur.

La femme, acceptant que le rôle masculin principal dans la famille soit celui de pourvoyeur et que sa biologie lui renvoie la responsabilité du bien-être familial, accepte plus aisément qu'il lui revienne d'office de faire les accommodements nécessaires au travail pour assumer cette responsabilité (Andrews et Bailyn, 1993). Pour remplir cette double allégeance à la famille et à la carrière le plus adéquatement possible, ces femmes auront ainsi une gestion du temps plus serrée et utiliseront beaucoup plus que les hommes les souplesses d'horaire et autres accommodements possibles au travail à cette fin (Avioli et Kaplan, 1992).

Cette intégration de l'idéologie des rôles séparés chez les hommes et les femmes explique également que, malgré des inégalités assez importantes dans le partage des tâches familiales et domestiques, plusieurs femmes se montrent tout de même satisfaites de ce partage, si elles ont trouvé des accommodements au travail qui ne soient pas trop au détriment de leur carrière (Baber et Allen, 1992). Mais ces accommodements ne sont pas aisés à obtenir. D'une part, le caractère privé de la famille fait en sorte

que les difficultés que peut comporter la prise en charge de responsabilités familiales et domestiques sont peu visibles. D'autre
part, ces difficultés sont d'autant plus minimisées que l'on attribue aux femmes des habiletés « naturelles » en cette matière
découlant de leur biologie (Abbott et Wallace, 1990 ; Andrews et
Bailyn, 1993 ; Daune-Richard et Devreux, 1992 ; Martin, 1992)[41].

Policière et mère

La décision d'avoir des enfants

La femme professionnelle mère de famille est dans une situation où
elle peut difficilement préserver sa crédibilité à la fois comme mère
et comme professionnelle. Si elle fait preuve d'une disponibilité et
d'un engagement professionnels égaux à ceux de l'homme, sa compétence familiale est mise en doute, car elle devrait « normalement »
donner priorité à sa famille (Abbott et Wallace, 1990 ; Coser, 1991).
Si, au contraire, elle prolonge son absence au travail au-delà du
congé de maternité payé, ou réduit ses heures pendant un certain
temps pour s'investir davantage dans sa famille avant de retourner
au travail à temps plein, elle vient confirmer que son allégeance professionnelle n'est pas prioritaire (Allen, Russell et Rush, 1994).
C'est pourquoi, à la suite d'un congé de maternité,

> [...] à leur retour dans l'organisation, elles devront faire face entre
> autres au scepticisme de leurs supérieurs relativement à leur désir
> de poursuivre leur carrière. Elles devront donc de nouveau faire la
> preuve de leur loyauté si elles veulent être réintégrées dans la
> filière promotionnelle. Le prix à payer est élevé. [...]

---

41. Ces dernières années, ces responsabilités familiales se sont élargies pour nombre de
femmes ; en plus des soins aux enfants, elles pallient de plus en plus les déficiences
des structures sociales à offrir les soins nécessaires à leurs parents, beaux-parents ou
autres membres de la famille en besoin de soins. Et plusieurs assument cette situation dans la monoparentalité.

> Les femmes qui choisissent d'avoir un premier enfant dans un tel contexte sont aux prises avec un conflit de valeurs presque impossible à résoudre, et l'on comprend qu'elles hésitent à emprunter une deuxième fois la voie de la maternité. (Landry, 1990b, p. 135.)

Ainsi, plus les perspectives de carrière augmentent chez les femmes, plus elles ont tendance à attendre pour fonder une famille, indépendamment des ressources financières ; il s'agit pour elles non seulement de maximiser leur disponibilité au travail pour une plus grande production, mais également de consolider une expérience et un réseau adéquats pour leur carrière (Blossfeld et Huinink, 1991 ; Landry, 1990b).

> Les femmes sans enfant réussissent mieux non parce qu'elles sont plus productives, mais parce qu'elles sont plus disponibles en dehors des heures normales de travail. C'est dans des heures tardives que se nouent en effet les relations utiles à la carrière qui échappent aux femmes retenues par le soin des enfants. Des réseaux officieux et occultes régissent la vie organisationnelle en constituant un mode de fonctionnement habituel lié aux traditions, aux règles et aux codes implicites masculins. C'est là que s'effectue la circulation parallèle de l'information, que se rendent les services, que se confortent les liens de loyauté, tissés de services dus ou rendus. (Baudoux, 1992, p. 87-88.)

L'option de ne pas avoir d'enfants ou d'en retarder l'arrivée pour maximiser les possibilités de carrière est celle de plusieurs policières parmi les pionnières (Walker, 1993). Et chez celles qui ont choisi la maternité, plusieurs sont inquiètes de la répercussion de ce choix sur leur carrière. Elles considèrent que les organisations policières voient d'un meilleur œil les policières célibataires, ou du moins sans enfants, pour les mutations ou les promotions (Walker, 1993).

Les études sur cette question confirment leurs perceptions. Plus un poste a du prestige dans la hiérarchie organisationnelle,

plus l'employeur considère inadéquate l'allégeance professionnelle des mères parce que ce type de poste, contrairement à la
perception de l'allégeance professionnelle des pères, ne peut se
jumeler avec leurs engagements familiaux (Coser, 1991).

Mais les jeunes policières, à l'instar des autres jeunes femmes
désirant faire carrière aujourd'hui, ne sont pas nécessairement
conscientes de ces réalités, elles qui comptent planifier l'arrivée
de la famille avec leur carrière de manière à ne pas être pénalisées.
La majorité d'entre elles acceptent le fait que même si elles font une
carrière, la responsabilité du bien-être familial leur revient en premier lieu. Ce double rôle, considérant les difficultés de conciliation
travail-famille qu'elles vont rencontrer en milieu policier, amènera
chez plusieurs d'entre elles beaucoup de stress, car elles auront le
sentiment de ne pas assurer tous les soins voulus à leur famille (He,
Zhao et Archbold, 2002 ; McDaniel, 1993). Et si la conciliation
travail-famille devient trop difficile, elles auront un double sentiment d'échec, soit sur les plans familial et professionnel.

Période prénatale et congés de maternité

La plupart des policiers et des policières estiment qu'il est important de libérer les policières enceintes des fonctions de patrouille et
nécessaire de donner des congés de maternité. Toutefois, les policières critiquent la gestion de ces affectations spéciales pour les
libérer de la patrouille, de même que celle des congés de maternité,
car souvent elles ne sont pas remplacées. En faisant payer le prix de
leur absence à leurs collègues de travail, cela génère à leur égard
beaucoup de ressentiment, les rendant coupables d'avoir une
famille (Busson, 1997 ; Kerr, 1999 ; Walker, 1993 ; Zanin, 1999b).

Je peux comprendre pourquoi ils disent « arrêtez de nous envoyer des
femmes », concède la sergente Martin. Mais tant et aussi longtemps

que la GRC n'inclura pas le coût de l'égalité d'accès dans le coût des services de police à forfait offerts aux provinces, les femmes en subiront les conséquences. Quand un détachement est à court de personnel, les membres ne peuvent obtenir des congés pour suivre des cours ou pour d'autres raisons. Les femmes doivent ensuite subir les contrecoups de leur frustration, si bien qu'elles n'osent plus devenir enceintes. Ce n'est pas juste. (Zanin, 1999b, p. 22-23.)

Que les hommes reportent leur frustration liée à un manque de personnel sur elles, souligne une autre policière dont les collègues masculins se permettaient des remarques désobligeantes sur le surplus de travail qu'occasionnait son congé de maternité, pose à nouveau la question de la légitimité des absences au travail, qui est perçue différemment pour les hommes et les femmes. Ce genre de remarques qu'elle a subies, souligne-t-elle, n'a pas lieu pour les absences involontaires des hommes comme ce policier, par exemple, « en congé pour une blessure au hockey » (Kerr, 1999, p. 24).

De plus, il y a la question des affectations qui leur sont données lors de la période prénatale. Des policières, dans certains services, sont frustrées d'être non seulement retirées automatiquement de la patrouille, mais de se faire également enlever l'uniforme et l'arme et d'être privées de tout contact avec les citoyens, comme si on voulait éviter que le public les identifie comme des policières enceintes. Pour cette raison, certaines policières attendent plusieurs mois avant d'informer le service policier de leur grossesse (Diotte, 2000).

Que font-elles en retrait préventif de la patrouille ? Dans certains services, surtout les plus petits,

[…] n'ayant pas de tâches préétablies pour les policières qui vivent une grossesse, l'organisation leur demande souvent d'accomplir des tâches monotones et peu valorisantes. Les « travaux légers », comme les appellent certaines policières, c'est quelquefois des photocopies à faire, ou pire, de porter le dossier du classeur à la secrétaire. Le commentaire voulant que l'organisation ne sait pas quelles tâches assigner aux policières enceintes revient souvent dans les entretiens. En effet, dans plusieurs services de police, il semble que ce soit à la policière de trouver des tâches pour s'occuper. (Diotte, 2000, p. 3.)

Lorsque les affectations liées au retrait préventif de la patrouille sont profitables à leur carrière, cela génère du ressentiment, et ce, surtout si elles occupent des fonctions pour lesquelles leurs collègues ne peuvent plus postuler tant que des policières en retrait préventif ou avec de jeunes enfants les occupent. Certains policiers trouvent injuste que dans ces affectations, les policières puissent « acquérir une expérience professionnelle utile susceptible de favoriser leur avancement, cette possibilité n'étant pas offerte aux autres membres du service » (Walker, 1993, p. XIII). Plusieurs policiers trouvent également injuste que l'on trouve plus facilement une affectation spéciale pour les policières enceintes ou en retour de maternité que pour les policiers blessés.

La majorité des policières ne veulent pas quitter la police parce qu'elles ont fait le choix d'avoir une famille, ni se retrouver dans ce que les Américains ont désigné en 1989 sous l'appellation de *mummy track*, c'est-à-dire des cheminements de carrière ralentis parce qu'elles ont une famille (Cook, 1992b ; Zanin, 1999b). C'est pourquoi elles demandent à leur employeur d'avoir voix au chapitre en cette matière afin de diminuer les ressentiments que cause la gestion actuelle des retraits préventifs et des congés de maternité.

En premier lieu, elles demandent d'être adéquatement remplacées lors d'affectations spéciales ou de congés de maternité. Plusieurs services policiers ont commencé à le faire. Toutefois, les policières ne veulent pas que ces congés ou affectations spéciales apparaissent comme des privilèges. C'est pourquoi elles désirent que les politiques d'affectations spéciales et de remplacement soient plus globales, c'est-à-dire qu'elles s'appliquent à toute personne occupant un poste opérationnel d'importance qui est absent pour cause de blessure, d'incapacité ou autre (Walker, 1993, p. XIII). De plus, elles veulent que le détail de ces politiques soit écrit et communiqué à chacun, homme ou femme, particulièrement aux superviseurs, de manière à éviter de se retrouver en position de quémandeuse en ces occasions, ou encore à la merci d'un superviseur plus ou moins accommodant. Plusieurs services de police ont commencé à agir en ce sens.

De plus, dans les cas où elles sont retirées de la patrouille, elles veulent que soit envisagée la possibilité d'être transférées dans un service de police environnant où on aurait réellement besoin de leurs services lorsque aucune possibilité d'affectation spéciale valorisante pour leur carrière n'existe dans un service.

Enfin, la gestion des indemnités lors de ces congés ou affectations spéciales demeure très variable selon les services. Des négociations sont en cours dans plusieurs services pour améliorer l'indemnisation des congés de maternité. Il y a plusieurs enjeux dans cette question. Il y a celui d'éviter de se retrouver avec une bonne partie du congé de maternité entamée avant l'accouchement à cause d'un retrait préventif du travail, ce qui en oblige plusieurs à reprendre rapidement le travail même si elles n'y sont pas toujours prêtes, ou encore à prendre des congés sans solde à la suite de l'accouchement. Il y a celui de faciliter la reprise du travail par des tâches modifiées. Il y a aussi la demande que leur conjoint, s'il est policier, puisse bénéficier également d'un congé parental plus long (Diotte, 2000 ; *Pony Express*, janvier 2000).

Les affectations spéciales pour les femmes enceintes sont un gain parce qu'elles assurent des conditions de travail plus sécuritaires (Blank, 1993 ; Duden, 1993). Les congés de maternité avec emploi garanti au retour permettent d'assumer plus adéquatement l'absence du travail. La souplesse des horaires au retour du congé permet plus de présence auprès des nouveau-nés. Toutefois, sans gestion adéquate par l'employeur, ces mesures entretiennent l'opinion que les femmes au travail qui ont choisi d'avoir une famille sont coûteuses, quémandeuses de privilèges, et qu'elles n'ont pas vraiment leur place comme professionnelles (Baber et Allen, 1992).

Les horaires rotatifs

La plupart des fonctions au bas de l'échelle hiérarchique, là où se trouvent la majorité des policières, sont basées sur des quarts de travail rotatifs inscrits dans des semaines de travail comprimées.

> Dans les services de police, les quarts de travail varient et comptent huit, neuf, dix ou douze heures. Le cycle des journées de travail et de congé varie également considérablement : ainsi, les quarts de douze heures peuvent être répartis sur un cycle de huit jours (deux quarts de jour, deux quarts de nuit et quatre jours de congé) ou de quatre semaines (deux semaines de quarts de jours et deux semaines de quarts de nuit). Les détails des horaires varient donc grandement, mais un élément reste commun à tous : le nombre normal d'heures de travail hebdomadaire est réparti sur moins de cinq jours. (de Carufel et Schaan, 1990, p. 84.)

Même si elles aiment la semaine comprimée pour pouvoir passer plus de temps en famille, les policières considèrent que les organisations policières pourraient offrir davantage de souplesse dans l'organisation du travail pour mieux répondre aux besoins de chacun au regard de sa famille, car les horaires rotatifs amènent de nombreuses difficultés.

Une étude de Brand et Hirsch (1990) auprès d'infirmières avec des horaires rotatifs et non rotatifs indique que pour celles qui ont des horaires rotatifs, le soutien d'ami(e)s intimes, du conjoint et du superviseur au travail a plus d'importance. Il aide à composer avec les difficultés d'organisation familiale amplifiées par ces horaires rotatifs, soit l'accès réduit aux ressources communautaires, aux services de garde, et le maintien plus ardu d'une routine sécuritaire et adéquate pour les enfants. En effet, il est extrêmement difficile avec ces horaires de gérer les soins et l'éducation d'enfants, autant avant qu'après l'école, de même que d'avoir des arrangements adéquats de garde (Tremblay, 1999). De plus, le maintien d'une bonne santé mentale et physique n'est pas aisé quand on a des horaires de nuit qui obligent à dormir le jour, tout en gardant quelques heures pour certaines interactions et obligations sociales et familiales. Une étude de Neidig, Russell et Seug (1992) en est arrivée à la conclusion que les horaires rotatifs sont un facteur important de stress et de fatigue, aggravant la violence conjugale en milieu policier. De manière générale, les horaires rotatifs risquent de nuire à la qualité de la relation de couple et des relations familiales (White et Keith, 1990).

Chez les couples de policiers dont les deux conjoints peuvent être astreints à ces types d'horaires, les policières les ont identifiés comme une des plus grandes causes de stress lorsqu'ils étaient inadéquats pour leurs besoins (Lamarche, 2000). Certains couples ont choisi d'alterner leurs horaires de manière à réduire les problèmes de garde par la présence plus grande d'un des deux parents, en se disant que c'était pour quelques années seulement. Mais leur vie sociale et conjugale souffre beaucoup de cette situation.

Les difficultés de conciliation du travail et de la famille liées aux horaires rotatifs expliqueraient, selon les policières, le départ de la police de plusieurs de leurs collègues (Walker, 1993). C'est pourquoi, à l'instar des femmes œuvrant dans d'autres professions, les accommodements de garderie (pour celles ayant des enfants en bas âge — moins de six ans) et l'assouplissement du temps de travail sont les deux priorités pour les policières afin de mieux concilier le travail et la famille (Lero et autres, 1992, 1993 ; Tremblay, 1999 ;

Walker, 1993). De même, elles voudraient également que soient reconnus un certain nombre de jours chaque année pour des congés familiaux (là où cela n'existe pas encore), car, faut-il s'en étonner, ce sont les mères qui assument le plus les tâches familiales susceptibles d'occasionner des absences au travail, comme les rencontres pédagogiques, les visites médicales et dentaires, etc[42].

> Au Canada, le nombre d'absences causées par des obligations personnelles ou familiales a presque triplé entre 1977 et 1990 [...]. À cet égard, la différence entre les hommes et les femmes est frappante : au cours de la période concernée, le niveau des absences attribuables à des obligations personnelles ou familiales chez les femmes détenant un emploi à plein temps est passé de 1,9 jour à 5,2 jours par année, pendant que chez les hommes ce niveau passait de 0,7 à un peu moins d'un jour seulement. Cette donnée met en évidence le fait que ce sont bien les femmes qui assument encore la majeure partie des responsabilités familiales et domestiques. (Tremblay, 1999, p. 27.)

Leurs revendications, à cet égard, rejoignent un questionnement beaucoup plus large sur la prise en compte de la famille dans l'organisation du travail.

> La nouvelle main-d'œuvre compte plus de femmes que jamais et plus de familles à deux revenus. Elle compte aussi plus de femmes ayant des enfants en bas âge, plus d'hommes assumant des responsabilités familiales, plus de familles monoparentales, et plus de travailleurs et travailleuses devant prodiguer des soins à des parents âgés ou à des personnes handicapées. Dans ces conditions, il n'est plus possible de continuer d'imposer à tous un horaire de travail

---

42. Selon Blain (1993), la perception de ces congés familiaux dans les milieux de travail n'est pas la même pour les hommes et les femmes. Lorsqu'un homme demande à s'absenter pour une urgence auprès de ses enfants, il apparaît d'une grande bonté à l'égard de sa famille, car il a la gentillesse de relayer sa femme qui n'a pu accomplir cette tâche. Et même dans le partage des tâches pour les soins aux enfants, les pères vont davantage investir dans les activités de loisir, le transport et l'encadrement disciplinaire (Corbeil et autres, 1992 ; Hessing, 1994). Ces tâches ne créent pas les mêmes risques de conflits avec l'horaire de travail.

uniforme, ou pire d'imposer des horaires de travail variables et imprévisibles, sans risquer, comme c'est trop souvent le cas maintenant, d'accroître toujours plus la tension entre la sphère du travail et celle de la famille et la vie personnelle. (Tremblay, 1999, p. 23.)

En attendant des changements en profondeur de ce côté, nombre de policières, pour bénéficier de meilleurs horaires facilitant la conciliation famille-carrière, se cloisonnent dans des fonctions aux horaires plus prévisibles ou plus aisément négociables, accentuant la division sexuelle des tâches au travail et réduisant leur avancement professionnel. En cela, elles suivent la même voie que bien des femmes dans d'autres professions (Daune-Richard et Devreux, 1992 ; Landry, 1990b ; Patterson et Engelberg, 1982).

Quant à celles qui désirent passer plus de temps à la maison après une maternité, elles tentent de négocier des arrangements qui ne nuisent pas trop à leur carrière. À cet effet, elles privilégient, lorsque cela est possible, le partage d'emploi, pour réduire leurs heures de travail. Mais encore faut-il ne pas négocier ces arrangements à la pièce avec son superviseur parce qu'aucune politique écrite suffisamment détaillée n'existe sur ces questions (Walker, 1993 ; Zanin, 1999b)[43].

---

43. Le 17 décembre 2007, la police de Saskatoon concluait une entente écrite quant au partage d'emploi (deux employés qui séparent leurs heures de manière égale pour occuper un seul poste, laissant ainsi un poste vacant) qui présente trois éléments intéressants :
    — le partage d'emploi est possible pour toute personne qui en fait la demande avec, à l'appui, les raisons, n'en faisant pas ainsi une politique spécifiquement pour les femmes, amenant la perception d'un privilège indu à leur égard ;
    — si le partage d'emploi est approuvé entre deux personnes, le remplacement du poste manquant est fait dans les trois mois, ne pénalisant pas les équipes parce que certaines personnes ont fait ce choix, le plus souvent pour des causes familiales ;
    — les personnes qui font ce choix pour une certaine période sont considérées comme des employées à temps plein avec tous les droits acquis des postes permanents à temps plein.
    Ainsi, même si les femmes avec de jeunes enfants sont probablement celles qui seront le plus intéressées par ce type d'arrangement, cela ne ferme pas la porte aux pères qui le feraient pour les mêmes raisons, et ne fait pas porter le poids de ces arrangements aux autres policiers. Il est heureux que de plus en plus de services policiers s'orientent vers ce type de politique.

De plus, pour les couples de policiers dont l'homme passe plus de temps à la maison, cela ne signifie pas nécessairement un plus grand engagement du conjoint dans les tâches familiales et domestiques, s'il conserve une vision traditionnelle des rôles familiaux (Presser, 1994)[44]. Et si ce dernier s'engage davantage, pour que cela soit bien vécu par les policières, encore faut-il qu'elles se sentent légitimes dans cette situation. Une recherche de Maume et Mullin (1993) indique que si la mère n'a pu trouver d'arrangements autres que de laisser les enfants sous la responsabilité de leur père lorsqu'elle est au travail, elle aura plus tendance à réduire ses heures de travail ou à quitter son emploi pour le remplacer. Cela tient au fait, le plus souvent, que se considérant comme « parent principal », plusieurs femmes se sentent coupables de ne pas pouvoir accomplir une tâche qui leur revient et qu'elles font « abusivement » assumer à leur conjoint (Biernat et Wortman, 1991 ; Corbeil et autres, 1992). Pour les mêmes raisons, les mères hésitent à faire garder leur(s) enfant(s) en dehors de leurs heures de travail, pour ne pas les priver davantage de leur présence. Quoi qu'il en soit,

> [...] que les conjoints refusent de s'impliquer entièrement ou que les femmes hésitent devant le partenariat parental, le résultat demeure le même : un partage inégal des responsabilités qui constitue un frein à l'harmonisation travail-famille et à la redéfinition des rôles parentaux. (Corbeil et autres, 1992, p. 115.)[45]

---

44. À cet égard, on peut s'interroger sur le fait que, dans la police, depuis la mise en place des horaires sur des semaines comprimées, 25 à 30 % des policiers ont un deuxième emploi sous une forme ou une autre (de Carufel et Schaan, 1990). Il serait intéressant de voir, parmi eux, ceux qui ont des enfants et ceux qui n'en ont pas. L'enquête ne fournit pas cette donnée.

45. Et ce partage inégal se perpétue souvent pendant la croissance de l'enfant : « Quand les enfants grandissent, ils constatent que les mères sont plus susceptibles de les aider, alors ils vont davantage voir les femmes plutôt que les hommes quand ils ont besoin d'aide, perpétuant ainsi la division traditionnelle du travail. » (Luxton, 1993, p. 293.)

Le rôle des syndicats

Les policières jugent que les syndicats policiers sont encore trop timides dans leurs actions pour répondre aux revendications actuelles des femmes (Ostiguy, 1997). À cet effet, la chef du Service de police de Guelph, Lenna Bradburn (1997), de même que plusieurs dirigeants syndicaux des milieux policiers recommandent aux policières de s'engager davantage dans les activités syndicales afin que ces politiques familiales, inscrites dans les conventions collectives, leur évitent de négocier des arrangements à la pièce avec les superviseurs. Ce conseil est celui que donnent d'ailleurs de nombreux écrits féministes aux femmes en soulignant que c'est un lieu de bataille important pour changer leur condition (Baudoux, 1992 ; Galinsky et Stein, 1990 ; Kerr, 1999 ; Mc Teer, 1997 ; Widerberg, 1991).

Mais ce n'est pas simple. D'une part, l'organisation du travail dans les syndicats tient souvent peu compte des contraintes familiales. Ce sont pourtant ces mêmes contraintes que les policières aimeraient voir reconnues par les syndicats dans leurs revendications auprès de l'employeur (Cobble, 1993 ; Cook, 1992a). De plus, comment pourraient-elles participer aux activités syndicales quand elles manquent de temps ? Enfin, y sont-elles réellement les bienvenues ? Plusieurs policières qui ont tenté de participer aux activités syndicales afin d'y faire valoir leurs revendications « se sont vues rejetées par leurs collègues de travail ». Elles demeurent trop peu nombreuses dans les organisations syndicales pour atteindre une représentation qui permettrait « de faire valoir leurs intérêts » (*Actes du colloque sur la femme policière*, 1999, p. 90).

Toutefois, la famille n'est pas qu'affaire de femmes. Selon les policières, pourquoi les organisations syndicales ont-elles besoin des femmes pour faire valoir ces priorités de négociations ? Les hommes n'ont-ils pas de famille ?

Le rôle des employeurs et de l'État

Les congés parentaux et l'aménagement des horaires de travail constituent les formules d'aide les plus usuelles des employeurs pour accommoder les employé(e)s dans leur gestion famille-carrière (Christensen et Staines, 1990 ; Galinsky et Stein, 1990 ; Tremblay, 1999). De plus, certains employeurs offrent des services de garde sur place ou des arrangements avec des garderies privées, aident à trouver des services de garde ou encore fournissent une certaine assistance financière pour ces services. Cela permet de réduire, principalement chez les femmes, le stress, l'absentéisme, les retards ou les départs imprévus du travail liés aux déficits de garde, de même que cela augmente la satisfaction des parents quant aux soins qu'ils donnent à leurs enfants (Nelson et autres, 1990 ; Tremblay, 1999). À cet égard, les données de la plus vaste enquête sur le sujet au Canada, soit l'Étude nationale canadienne sur la garde des enfants (Lero et autres, 1992, 1993) avaient signalé que les difficultés d'avoir un service de garde adéquat réduisaient beaucoup l'engagement professionnel par l'incapacité de concilier les horaires de travail et de garde. Cela allait jusqu'à obliger des parents (surtout les femmes) à renoncer à des possibilités de promotion

> [...] dès que celles-ci impliquent des changements d'horaires ou quelque alourdissement de la responsabilité professionnelle, des tâches ou de la durée du travail, qui risque de menacer l'équilibre déjà fragile qui existe entre leurs obligations professionnelles et familiales. (Tremblay, 1999, p. 28.)

Mais pour que l'organisation policière se préoccupe ainsi d'améliorer la gestion famille-carrière, encore faut-il qu'elle vise à retenir les femmes à son emploi autant que les hommes. Cela signifie ne pas les pénaliser d'avoir une famille. Certaines politiques commencent à changer, mais il y a encore beaucoup à faire. On remarque, à cet effet, que les organisations les plus avant-gardistes en cette matière sont celles qui ont un personnel mixte aux compétences spécialisées que l'on désire retenir à tout prix. En d'autres termes, il y a des avantages économiques pour ces entreprises à instaurer des politiques familiales (Aldous, 1990). En l'absence de gains économiques importants, les politiques familiales des entreprises se limitent généralement à la grossesse et aux congés de maternité. C'est ce qui amène nombre d'auteurs (Aldous, 1990 ; Kingston, 1990) à revendiquer des politiques gouvernementales qui forcent les entreprises à faire davantage en cette matière.

Le cas de la Suède, à cet égard, permet de montrer certains avantages, mais également certaines limites à cette perspective quand les mentalités sur les rôles sociaux sont inchangées. Le gouvernement suédois a créé des politiques généreuses de congés parentaux au travail avec l'objectif explicite d'une plus grande implication masculine dans les soins aux enfants, facilitant ainsi les cheminements de carrière des femmes (Haas, 1990).

La Suède, qui se targue d'être le premier pays au monde pour l'égalité des citoyens, s'est donné dans les années 1970 pour priorité d'accorder des « chances égales » aux femmes. Soutenues par un long règne de la social-démocratie et une prospérité croissante, les initiatives du ministère de l'Égalité des chances ont obtenu des résultats. La Suède est le pays du monde qui compte le plus de femmes au travail (75 % des 20-65 ans, surtout dans le secteur tertiaire et la fonction publique), et le plus de femmes élues au Parlement (43,6 %) ainsi que dans les conseils généraux et les communes. Au long des années 1990, malgré la crise, les gouvernements successifs ont réaffirmé l'approche dite du *mainstreaming*, consistant à inclure la dimension des chances pour les femmes dans toute action politique et administrative. [...]

Ce congé parental rémunéré auquel donne droit la naissance d'un enfant était, en 2000, d'une durée totale de 450 jours dont 420 jours pouvant être répartis entre les deux parents à leur convenance, les

30 jours restants étant « le mois du père », donc non transférables. Le niveau d'indemnisation était de 80 % du revenu brut pendant 360 jours, et de 60 couronnes par jour pour les 90 jours restants. Par vote du Parlement le 23 mars 2001, la durée d'indemnisation vient d'être portée à 13 mois, dont 2 mois réservés au père (ou à la mère si c'est le père qui prend le reste). Il vient d'être décidé que des indemnités proportionnelles pourront être versées au parent salarié qui, après la naissance d'un enfant, passerait à temps partiel. [...] **En 1999, les pères avaient utilisé 11,6 % des prestations d'assurance parentale** (principalement ceux travaillant dans la fonction publique, voire dans quelques grandes entreprises). Les parents, d'autre part, peuvent écourter leur journée de travail de 2 heures par jour jusqu'aux 8 ans de leur enfant (leur salaire étant diminué proportionnellement). Là encore, ce sont les femmes majoritairement qui usent de cette possibilité. (Sullerot, 2001. Nous soulignons.)

Ainsi, même avec ces politiques, les études ont constaté peu de différences dans le partage des tâches familiales là-bas avec les États-Unis. En d'autres termes, ces politiques n'ont pas vraiment changé l'idéologie qui renvoie la responsabilité familiale à la femme (Aldoux, 1990 ; Calasanti et Bailey, 1991 ; Haas, 1990 ; Moen, 1989, 1992 ; Moen et Forest, 1990). L'exemple de la Suède témoigne du fait que le facteur qui influe le plus sur l'inégalité du partage des tâches familiales n'est pas le temps disponible des conjoints, mais l'identification sexuelle des rôles sociaux et l'inégalité sociale qui en découle, se transposant tant dans l'organisation du travail que dans la sphère privée.

Les politiques en matière de congés parentaux sont excellentes pour donner plus de temps aux parents de s'ajuster à l'arrivée d'un enfant et pour jouir de ses premiers pas. [...]

Toutefois, les politiques de congés parentaux ne sont pas une solution à long terme aux difficultés de conciliation du travail et de la famille. Elles repoussent simplement ces difficultés d'un certain nombre de semaines. Des réformes sont nécessaires pour donner les conditions matérielles qui permettent à tous, tant les hommes que les femmes, de combiner le travail et la famille. (Evans et Pupo, 1993, p. 418. Notre traduction.)

Le résultat de ces politiques, sans un soutien actif plus global de l'État à la famille, risque d'être un renforcement, plutôt qu'une modification de la répartition actuelle du travail entre les sexes à la maison, et une plus grande pénalisation de la carrière des femmes liée à leur absence prolongée du marché du travail. De plus, le maintien du caractère privé de politiques qui forcent les employeurs à avoir de bonnes conditions de congés parentaux pourra avoir l'effet qu'ils hésiteront encore davantage à embaucher des femmes qui envisagent de fonder une famille, ces politiques étant perçues comme extrêmement coûteuses (Tremblay, 1999 ; Vogel, 1990).

L'embauche de policières jeunes a un effet certain sur les absences pour congé de maternité. Comme le soulignait le directeur du Service de protection des citoyens de Laval (Marc-Aurèle, 1997, p. 185) :

Notre personnel féminin a, à ce jour, bénéficié de 36 congés de maternité, ce qui représente une moyenne d'absence d'environ 40 semaines pour chaque policière enceinte.

On remarque également que c'est généralement la femme qui s'absente de son travail, dans le cas d'une urgence médicale ou autres concernant un enfant.

Nous avons des couples qui font carrière ensemble au sein de notre département et c'est généralement la femme, donc la mère, qui prend congé pour régler des problèmes parentaux et pour s'occuper des responsabilités familiales d'ordre général.

Les mères au travail commencent à peine à reconnaître que certaines concessions et contraintes liées à leur statut ne sont pas toujours un prix « naturel » à payer (Cormier, 1990 ; Coser, 1991 ; Fahmi, 1992). En fait, la majorité d'entre elles considèrent encore que c'est normal, étant donné qu'elles sont les principales responsables du bien-être familial.

> Et bien qu'une proportion significative des informatrices se sentent souvent fatiguées en raison de la lourdeur de leurs tâches (57,1 %), dépassées par la multitude des choses à accomplir (46,8 %) — c'est le cas de 67,5 % des mères d'enfants d'âge préscolaire —, stressées ou tendues (48,5 %), elles partagent tout de même une vision positive à l'égard de leur double identité. Peu d'informatrices éprouvent le sentiment qu'être mère est davantage une corvée qu'un plaisir (10,0 %) ou se disent déchirées, tiraillées entre le travail et les enfants (20,3 %). Et plus elles sont scolarisées ou satisfaites de leur emploi, plus elles valorisent leur double identité de mère et de travailleuse. (Corbeil et autres, 1992, p. 117.)

En parallèle, toutefois, plus celles-ci croient qu'elles doivent être les principales responsables du bien-être familial, plus elles vivent de culpabilité et de stress liés aux difficultés de gestion travail-famille (Parry, 1987 ; Tremblay, 1999). Selon l'enquête de Corbeil et autres (1992, p. 117), le fait que près du tiers des mères au travail considèrent que « la présence d'un parent au foyer demeure toujours une façon idéale de concevoir la relation parentale » accroît cette culpabilité. Ce pourcentage grimpe à près de la moitié lorsqu'il s'agit des deux premières années de l'enfant[46] (Baber et Allen, 1992 ; Game, 1994). Dans ce contexte, on comprend mieux que l'élargissement des politiques de congés paren-

---

46. Une enquête sur le sujet réalisée en 1988 indiquait que plus du quart des Canadiens croyaient que la place des femmes devrait être à la maison pour fonder une famille (Leuton, 1992). De plus, même si les enquêtes canadiennes indiquent des changements importants sur la nécessité de partager les tâches domestiques et les responsabilités familiales, cela ne signifie pas que les comportements vont automatiquement suivre ces changements d'attitudes (Luxton, 1993).

taux à la suédoise pousse davantage de femmes à interrompre leur carrière parce que les attentes à l'égard de leur responsabilité familiale, tant dans la société que de leur part, n'en sont que renforcées.

En somme, les policières ont raison de demander qu'en dehors des politiques sur la grossesse, les politiques familiales ne désignent pas spécifiquement les femmes, comme si elles seules avaient la responsabilité familiale. Mais il est clair que ces politiques ne suffiront pas à changer les mentalités même si elles peuvent y contribuer (Baber et Allen, 1992 ; Baudoux, 1992 ; Walker, 1993 : XXX). À cet égard, les stratégies pour sensibiliser davantage les hommes sur cette question ont été peu explorées (Cormier, 1990 ; Martin, 1992 ; Pleck, 1993 ; Widerberg, 1991). Il y aurait sûrement lieu d'aborder cette question dès la formation pour sensibiliser tant les policiers que les policières sur le sujet.

Policière et ménagère

Les études sur le partage des tâches domestiques regroupent généralement trois catégories de tâches : les travaux ménagers (préparation des repas, nettoyage et rangement de la vaisselle après les repas, entretien de l'intérieur de la maison — lavage, repassage, couture, soin des plantes et des animaux —, entretien de l'extérieur de la maison — nettoyage, jardinage, réparation et entretien de l'habitation —, les soins aux membres du ménage et, enfin, les courses et emplettes (incluant les services dispensés par les médecins, dentistes, coiffeurs, etc.). L'énumération de ces tâches permet d'en visualiser l'ampleur.

Que ressort-il des statistiques sociales québécoises sur le partage des tâches domestiques entre les sexes ?

Chez les personnes de 15 ans et plus vivant avec un conjoint, les hommes assument 35 % du temps domestique et les femmes 65 %. Dans le cas des travaux ménagers, ces proportions sont respectivement de 31 % et 69 %.

[...] Chez les ménages à double soutien, les hommes assurent 38 % du travail ménager contre 62 % pour les femmes ; ce résultat tient pour l'essentiel à la réduction du temps consacré aux activités ménagères par les femmes en emploi. (Laroche, 1994, p. 255.)

Plus précisément, selon ces statistiques, l'homme dont la conjointe travaille consacre dix minutes de plus par jour au travail domestique comparativement à celui dont la conjointe ne travaille pas, temps essentiellement consacré aux soins des enfants. La présence ou non d'enfants ne change pas le temps d'investissement en travaux ménagers (Laroche, 1994, p. 258). Une enquête canadienne sur le sujet (Brayfield, 1992), de même que de nombreuses autres enquêtes ailleurs (Baber et Allen, 1992 ; Baudoux, 1992 ; Baxter, 1992 ; Beckwith, 1992 ; Ferree, 1991 ; Game, 1994 ; Shelton, 1992 ; Starrels, 1994) rapportent sensiblement les mêmes données[47]. Qu'est-ce qu'elles signifient pour les femmes occupant un emploi ? Que celles-ci, lorsque les obligations familiales viennent s'ajouter aux travaux ménagers, vont modifier considérablement leur gestion du temps pour toujours leur consacrer le temps nécessaire, en demeurant les principales responsables de la coordination de ces tâches. Cette responsabilité de coordination signifie non seulement passer plus de temps à faire ces tâches, mais également se réserver un espace mental pour planifier et organiser son temps avec succès (Baudoux, 1992 ; Hessing, 1991, 1994).

---

47. L'étude canadienne précise toutefois que l'inégalité dans la répartition des tâches est un peu moins grande chez les couples francophones que chez les couples anglophones (Brayfield, 1992).

Le partage des travaux ménagers demeure très sexué. Les femmes effectuent davantage les travaux routiniers et invisibles à l'intérieur de la maison et les hommes, davantage les plus visibles et les moins répétitifs, surtout à l'extérieur de la maison (Beckwith, 1992 ; Corbeil et autres, 1992 ; Lemel, 1993 ; Luxton, 1993)[48].

> D'autres dimensions du travail domestique qui doivent être prises en compte sont le caractère répétitif des tâches et leur visibilité lorsqu'elles sont terminées. Certaines tâches comme la cuisine, la vaisselle, le changement des couches et le lavage ont besoin d'être faites de manière répétitive. D'autres tâches comme les réparations, les projets autour de la maison et les travaux extérieurs ne sont souvent faits qu'une seule fois ou à des intervalles moins fréquents. Une nouvelle moustiquaire à la porte ou la réparation de la télé, un ajout d'espace à la maison ou un nouvel arbre planté dans la cour offrent plus de visibilité qu'une cuisine propre ou un lavage fait ; parce qu'elles sont des événements uniques, ces tâches sont moins fastidieuses et plus satisfaisantes lorsque complétées.
>
> [...] Les hommes font davantage les tâches qui leur allouent plus de flexibilité d'horaire, leur permettent en même temps de socialiser, sont plus visibles et moins répétitives. (Baber et Allen, 1992, p. 207-208. Notre traduction.)

Les études qui se sont attardées aux raisons de cette division inégale des tâches indiquent que la socialisation et l'identité différentielle jouent un grand rôle : l'identité masculine adulte passe par l'emploi, tandis que l'identité féminine, même si elle peut passer aussi par l'emploi, passe encore par la responsabilité de son

---

48. De même, les études indiquent que le salaire des femmes est davantage assigné aux dépenses courantes (factures, épicerie, vêtements) tandis que le salaire des hommes va davantage aux biens immobiliers et aux paiements de tâches spéciales et de gros travaux extérieurs (Beckwith, 1992).

foyer[49]. À cet égard, nombre d'études soulignent les difficultés qu'éprouvent plusieurs femmes, quelle que soit leur classe sociale, à laisser leur époux gérer les tâches ménagères ; elles veulent en établir les standards (Baber et Allen, 1992 ; Bittman et Lovejoy, 1993 ; Ferree, 1991 ; Geller et Hobfoll, 1994 ; Lemel, 1993).

> Parce que les tâches domestiques ont toujours été considérées comme relevant de la responsabilité des femmes, le jugement sur l'environnement domestique est davantage un jugement sur les habiletés de la mère plutôt que du père. Les femmes, ainsi, peuvent avoir des standards plus élevés sur la **manière** dont ces tâches doivent être faites. [...] Apprendre à abaisser leurs standards peut être un premier pas qui facilite aux femmes une renégociation des tâches domestiques. Aussi longtemps que les femmes seront plus soucieuses de la manière dont doivent être faites ces tâches, elles seront moins disposées à en perdre le contrôle au profit d'un meilleur partage. (Baber et Allen, 1992, p. 213. Notre traduction.)

D'ailleurs, lorsqu'elles en ont les moyens, plusieurs femmes préfèrent grandement une aide domestique, plutôt que de négocier ces tâches et la façon de les faire avec leur conjoint (Bittman et Lovejoy, 1993 ; Brayfield, 1992 ; Gregson et Lowe, 1994 ; Luxton, 1993). Mais il n'est pas toujours aisé de justifier la nécessité de cette aide domestique au conjoint. Le problème est que plus ce travail d'entretien domestique est bien fait régulièrement, moins il est visible, dans le sens où l'environnement de la maison est confortable et les enfants ont les soins requis (Baber et Allen, 1992). Et les femmes éprouvent plus de difficulté à déléguer, tant au travail qu'à la maison, si cela signifie que cette délégation

---

49. Une enquête de Lortie-Lussier (1992) auprès d'étudiantes en psychologie indique que celles-ci croient au partage égal des tâches dans le couple et qu'elles croient pouvoir combiner harmonieusement famille et carrière, tout en se gardant les tâches les plus fastidieuses de la domesticité.

risque de créer des tensions (Baber et Allen, 1992; Biernat et Wortman, 1991; Bittman et Lovejoy, 1993; Cormier, 1990; Major, 1993).

Plusieurs études ont remarqué que, dans les cas où le partage des travaux ménagers était moins inégal et qu'une plus grande satisfaction du partage était éprouvée, la femme avait un salaire comparable ou plus élevé que celui du conjoint[50] (Baber et Allen, 1992; Baxter, 1992; Biernat et Wortman, 1991; Blumberg, 1991; Dancer et Gilbert, 1993; Manke et autres, 1994). Toutefois, d'autres études ont critiqué cette affirmation en montrant qu'on ne peut séparer la question du salaire de la perception par des conjoints de la nécessité de répartir également ces tâches[51] (Calansanti et Bailey, 1991; Major, 1993). Des analyses plus fines ont alors repris ces données pour les clarifier; elles indiquent en effet que ce partage plus égalitaire se retrouve principalement chez les couples dont la femme occupe un poste d'autorité à son emploi (Brayfield, 1992) et/ou où l'arrivée du premier enfant fut assez tardive (au moins à la fin de la vingtaine). Ces conditions se retrouvent probablement davantage chez les femmes qui ont une planification de carrière différente et une conception du partage domestique basée sur la négociation (Brayfield, 1992; Coltrane et Ishii-Kuntz, 1992). Par ailleurs, dans un couple où le conjoint dépend économiquement de son épouse, même si elle a un bon salaire, le partage des tâches est encore plus inégalitaire. Le besoin

---

50. Il semble également que les couples lesbiens et les couples en cohabitation ont un partage plus égalitaire des tâches que les couples mariés (Baber et Allen, 1992; Baudoux, 1992; Corbeil et autres, 1992; Gilbert, 1994).

51. Trop d'études ont simplement analysé le partage des tâches ménagères en termes de « minutes ». Le fait que ces tâches soient en partie sexuées culturellement crée des attentes souvent différentes à l'égard des hommes et des femmes dans leur accomplissement, attentes qui, dans la perception de chacun des membres du couple, peuvent leur donner satisfaction, même si en termes de « minutes », la répartition n'est pas égale (Gilbert, 1994; Hood, 1993; Major, 1993).

d'affirmer sa masculinité, étant donné son faible rôle de pourvoyeur, l'amènerait à rejeter les tâches domestiques, perçues comme féminines (Brines, 1994)[52].

En somme, concluent ces études, la perception des rôles dans le partage des tâches demeure ce qui explique principalement les inégalités. Le maintien de ce partage inégalitaire serait renforcé par le fait que les femmes ont tendance à comparer la « performance » de leur mari à la maison non pas en fonction de leurs besoins, mais en fonction de ce que font les autres maris, et à juger leur propre « performance » avec leur perception de ce que font les femmes. C'est ce qui explique leur taux plus élevé de satisfaction à l'égard de l'implication de leur conjoint dans les tâches familiales, même en situation importante d'inégalité, et leur plus grande insatisfaction à leur propre égard, même si elles en font beaucoup[53] (Hochschild, 1989 ; Major, 1993).

Mère traditionnelle ou économie traditionnelle ?

L'égalité des mères au travail doit-elle résider dans la possibilité de poursuivre une carrière sur le modèle économique masculin traditionnel dont la disponibilité du travailleur est l'enjeu ? Ou encore, les femmes n'ont-elles pas raison de résister à ce modèle pour faire reconnaître par le milieu de travail la légitimité de l'investissement familial ? Cette question est rarement posée dans les

---

52. Il est intéressant que, dans l'armée, lorsqu'on veut punir quelqu'un, on lui donne des tâches domestiques. Cela traduit déjà l'avilissement que constituent ces tâches dans un milieu traditionnellement masculin (Daune-Richard, 1992).

53. Également, pendant la croissance des enfants, les mères seraient plus insatisfaites de leurs filles qui aident pourtant davantage que les garçons aux tâches domestiques (Manke et autres, 1994).

études. Celles-ci se préoccupent davantage de la possibilité pour les femmes de faire la même carrière que les hommes « malgré la maternité », et certaines blâment même les femmes « pour leur manque de recherche d'égalité » (Widerberg, 1991, p. 42. Notre traduction). Revendiquer la reconnaissance par l'employeur de la légitimité de l'investissement familial peut toutefois être un enjeu d'égalité : celui de partager cette situation avec le conjoint (lorsqu'il y en a un), en valorisant un autre modèle de carrière.

> Si les hommes et les femmes partageaient également cet investisse-ment familial, ils en vivraient également les conséquences profes-sionnelles et une nouvelle structure salariale pourrait être possible. [...] À l'heure actuelle, comme ce n'est pas le cas, les aménage-ments familiaux au travail contribuent à accroître le partage inégal des conséquences professionnelles selon les sexes. (Widerberg, 1991, p. 42. Notre traduction.)

L'exemple de la Suède indique bien que si des politiques de congés parentaux sont utiles à l'investissement familial plus satis-faisant des femmes, elles n'ont pas modifié le partage inégal des tâches familiales. Pour ce faire, il aurait fallu que la reconnaissance de la famille ait été conçue dans une politique plus globale qui ne se réduise pas à la maternité et aux soins aux jeunes enfants, tâches attachées au rôle féminin. Une véritable politique familiale devrait inclure les droits au travail des familles monoparentales, les moments de transition des familles reconstituées, les soins aux enfants plus âgés de même qu'aux personnes âgées à charge qui, dans les années à venir, seront sans doute de plus en plus nom-breuses (Doress-Worters, 1994 ; Lewis et autres, 1992 ; Naisbitt et Aburdene, 1990 ; Wood, 1994). En d'autres termes, elle doit recon-naître les diverses formes de responsabilités familiales et tenter de renforcer la possibilité d'y investir, tout en pouvant gagner sa vie.

Toutefois, même si la perception actuelle des rôles sociaux des hommes et des femmes contribue à un partage inégal des tâches familiales et domestiques, de même que les politiques sociales demeurent insuffisantes pour amener des changements en profondeur sur ces questions, l'employeur peut dès maintenant jouer un rôle pour atténuer les difficultés de gestion travail-famille (Corbeil et autres, 1992 ; Cohen, 1994 ; Googins, 1991 ; Martin, 1992). Sans changements dans l'organisation du travail et la culture organisationnelle de la police, les policières, comme tant d'autres professionnelles, assumeront principalement les difficultés de conciliation du travail et de la famille et leurs conséquences (Coser, 1991 ; Googins, 1991 ; Lebeuf, 1997 ; Martin, 1992).

À cet égard, il est heureux que de plus en plus de policières ces dernières années revendiquent la reconnaissance de la famille par le milieu de travail et le politique, de manière à permettre tant aux hommes qu'aux femmes de mieux concilier l'un et l'autre : l'employé idéal, valorisé par l'organisation du travail, ne doit plus être un employé « sans famille ».

CHAPITRE VII

Policières au pouvoir

J'ai aussi eu à subir, sans doute comme vous, les tests et les pièges, témoignages de la non-reconnaissance de la compétence au féminin, les éternels sous-entendus, les trop connues railleries, les incontournables flirts jusqu'à devenir malgré tout, malgré certains, la première femme à l'état-major du Service de police de la CUM. (Lison Ostiguy, inspectrice-chef au SPCUM, 1999, p. 9.)

Les promotions? Aucune! C'est un choix personnel que j'ai fait de ne pas postuler aux grades. Il m'aurait fallu mener un autre combat et je n'avais pas le goût de me battre pour un grade ou un poste pour me faire dire ensuite que si je l'avais obtenu, c'était parce que j'étais une femme. Si on ne passait pas, c'est parce qu'on avait un cerveau de fille, et si on passait, c'est parce qu'on était une fille... (Nicole Juteau, agente, Sûreté du Québec, 1999, p. 78.)

La définition classique du succès exige que les policiers de tous les grades cherchent à obtenir de l'avancement. [...] La pression pour obtenir de l'avancement est énorme, même si on ne désire pas vraiment assumer les responsabilités additionnelles qui y sont attachées.

Il existe une autre raison pour laquelle les promotions sont recherchées. Dans le domaine de l'application de la loi, les promotions entraînent une augmentation salariale et une amélioration du statut, de concert avec l'augmentation des responsabilités. Malheureusement, dans la plupart des cas, aucune autre possibilité n'est offerte d'obtenir une augmentation salariale et une amélioration des avantages sociaux et du statut. (Drennan, 1997, p. 97.)

Les policières déjà sous-représentées à la base ne sont que quelques-unes dans les postes de gestionnaires, quoique leur nombre soit en augmentation ces dernières années (voir Annexe III). En fait, elles sont souvent seules dans un service à occuper un échelon hiérarchique supérieur, à l'exception des grandes villes. Le taux de roulement des cadres féminins, deux fois et demie plus élevé que celui de leurs collègues masculins, témoigne des difficultés qu'elles peuvent rencontrer dans des postes de pouvoir (Walker, 1993 ; Hooper, 1992).

Une explication partielle de cette rareté est le petit nombre de policières ayant l'expérience et l'ancienneté nécessaires pour des promotions. Il y a eu également un aplatissement de la structure hiérarchique ces dernières années par l'élimination de nombreux postes de cadres intermédiaires (Drennan, 1997 ; Langlais, 1999). Enfin, toutes ne désirent pas un cheminement de carrière ascensionnel dans la hiérarchie policière. Mais ces éléments ne suffisent pas à expliquer leur petit nombre aux postes de gestion.

D'une part, toutes les résistances à la présence des policières risquent de jouer négativement lors de demandes de promotion. D'autre part, les policières elles-mêmes peuvent freiner leur ascension hiérarchique en évitant la compétition dans un climat hostile à leur présence aux postes de pouvoir, en se cloisonnant dans certaines tâches ou fonctions pour mieux concilier famille et travail, ou encore tout simplement en sous-estimant leurs compétences.

La question de la promotion des femmes à des postes de pouvoir ne relève pas que de politiques d'équité en emploi même si, dans la police, aux États-Unis comme au Canada, des poursuites judiciaires témoignent de pratiques discriminatoires (Coleman, 1992 ; Martin, 1991 ; Trostle, 1992). Cette question, comme les autres, est également imbriquée dans les rapports sociaux de sexes (Landry, 1990 a et b).

Conciliation travail-famille

La gestion implique souvent des heures supplémentaires, la capacité de maintenir un réseau non officiel en dehors des heures normales de bureau, des déplacements et des imprévus. Sans l'apport d'un conjoint qui facilite la conciliation travail-famille, ces conditions peuvent difficilement être envisagées par nombre de femmes qui ont une famille à charge, particulièrement celles qui ont de jeunes enfants (Alvesson et Billing, 1997 ; Coser, 1991 ; Wajcman, 1998). Celles-ci demeurent nombreuses à se cloisonner dans des types de tâches qui préservent la possibilité d'un horaire plus régulier, facilitant la conciliation travail-famille, mais peu propice aux promotions. (Landry, 1990a et b ; Ostiguy, 1997 ; Walker, 1993). Ou encore, elles se confinent (ou sont confinées) dans des tâches jugées féminines par rapport à d'autres typées masculines. Le peu de variété des fonctions occupées a une incidence directe dans la profession policière sur les possibilités de promotions.

> Pratiquement tous les cadres supérieurs de la police insistent sur l'importance d'une expérience variée pour les candidats qu'ils prennent en considération pour une promotion. [...] On rencontre ce phénomène plus fréquemment aux grades supérieurs où le fait de ne pas avoir travaillé dans certains secteurs peut réduire considérablement les chances de promotion d'un individu. Dans beaucoup de services, il n'est pas rare que certains groupes de travail et même certains postes précis soient officieusement et communément considérés comme des terrains d'essai et donc des tremplins pour obtenir une promotion. (Coutts, 1990, p. 109.)

Et l'une des voies pour connaître et avoir accès à ces « terrains d'essai » est l'implication dans les réseaux sociaux non officiels avec les collègues en dehors du travail ; c'est là que circule l'information qui permet de mieux comprendre les « compétences culturelles » exigées par l'organisation (Alvesson et Billing, 1997 ; Baber et Allen, 1992 ; Coffey et autres, 1992 ; De Coster, 1990 ; Landry, 1990a et b ; Martin, 1987 ; Martin, 1991 ; Tepper et autres, 1993). Plusieurs policières sont privées d'importantes sources d'informations pour les promotions en ne pouvant ou ne voulant pas participer à ces réseaux.

S'ajoute à cela, lors des demandes de promotion, la perception d'une moins bonne qualité des dossiers de candidates dont les aménagements de travail et les interruptions liées à la grossesse et à la maternité ont construit un parcours moins linéaire et ascensionnel qu'un dossier masculin. La lecture de ces cheminements de carrière peut également mener à la conclusion, chez certains évaluateurs, que la loyauté institutionnelle de ces candidates est faible (Alvesson et Billing, 1997 ; Baber et Allen, 1992 ; Baudoux, 1992 ; Coser, 1991 ; Goh, 1991 ; Wajcman, 1998). Enfin,

> [...] si l'on soupçonne que la femme devra prévoir des absences pour une maternité, des soins aux enfants ou à des membres malades de sa famille ou encore aura besoin d'une certaine flexibilité d'horaire, elle peut voir son dossier repoussé au profit de l'embauche d'un homme. (Baber et Allen, 1992, p. 191. Notre traduction.)

Ainsi, la prise en compte institutionnelle de la maternité, nécessaire pour ne pas pénaliser les policières, peut se retourner contre elles lors de promotions si, en dehors de la grossesse, la famille demeure perçue comme la responsabilité essentiellement des femmes. Et cette situation ne joue pas uniquement lorsque de jeunes enfants sont en cause. Elle peut jouer également à l'égard des femmes ayant à charge des membres de la famille dans le besoin, et même à l'égard de celles vivant en couple comparativement aux femmes célibataires. En effet, si l'homme marié apparaît plus libre que l'homme célibataire, car la vie à deux permet une plus grande disponibilité professionnelle grâce au travail domestique assuré par la femme, pour elle, c'est l'inverse. La femme célibataire, n'ayant pas le souci du bien-être familial, paraît plus libre que la femme mariée (Baudoux, 1992 ; Unger et Crawford, 1992). Des études révèlent également que l'homme est le plus souvent privilégié par son rôle stéréotypé de pourvoyeur au regard de l'allégeance première de la femme à la famille. Et cette perception n'est pas que masculine :

> Les attentes de la femme relativement à la réussite professionnelle de son mari sont souvent plus élevées que les attentes profession-nelles de l'époux quant à la réussite professionnelle de sa femme. L'investissement de l'homme entraîne une mobilisation familiale, alors que l'investissement de la femme ne remet pas en cause le droit à l'emploi de son mari et repose sur un investissement pure-ment individuel. (Baudoux, 1992, p. 82.)

C'est ce que l'on constate, entre autres, lorsqu'une promo-tion implique un déménagement, et que les rapports du couple sont plus traditionnels. L'homme qui se perçoit comme le pour-voyeur décide de la valeur du transfert et il l'effectuera aux dépens de sa femme. Dans la même situation, la femme se percevant comme un surplus financier, ne s'affirmera pas. Cela serait la cause de la démission de certaines policières dont le conjoint poli-cier avait reçu une promotion impliquant un transfert (Linden et Fillmore, 1993 ; Walker, 1993). Toutefois, si des conjoints perçoi-vent leur emploi comme essentiel à leur vie et sont non tradition-nels à l'égard des rôles familiaux, ils vont en discuter, chacun étant sensible à l'impact de ce transfert sur son conjoint (Bielby et Bielby, 1992 ; Daune-Richard, 1992).

L'appréhension de ces obstacles liés à la conciliation de la famille avec l'ascension dans le cheminement de carrière a amené plu-sieurs des premières femmes gestionnaires dans la police à demeurer sans enfants, comme dans d'autres professions. Toutefois, cette situa-tion tendrait à changer ces dernières années et les femmes désirant occuper des postes de pouvoir feraient de moins en moins un choix entre la famille et la carrière au profit de la recherche d'un équilibre familial, conjugal et professionnel (Baudoux, 1992 ; Coderre et autres, 1999 ; Corbeil, 1994). L'équilibre est facilité par l'emploi de « femmes » de remplacement pour les tâches ménagères, et même en tant que gouvernante pour les enfants dans la mesure où ces femmes (et leur conjoint) ont des salaires élevés (Wajcman, 1998).

Compétition et climat de travail

Les femmes accordent généralement plus d'importance aux coûts de la compétition sur le climat de travail, coûts d'autant plus élevés quand le milieu est encore hostile à leur présence. Pour cette raison, des femmes peuvent éviter de postuler pour une promotion (Landry, 1990b ; Lipman-Blumen, 1992 ; Unger et Crawford, 1992). Ces coûts négatifs peuvent être accentués par le fait que

> [...] la femme qui entre en compétition avec un homme pour une promotion est plus susceptible d'être rejetée par ses collègues que celle qui ne le fait pas. De même, la femme est plus susceptible d'être rejetée si elle apparaît trop compétente ou compétitive. (Carli, 1991, p. 101. Notre traduction.)

Si une femme estime que ce ressac sera important, elle peut également considérer que sa capacité de gestion par la suite en sera réduite d'autant, la crédibilité étant une condition essentielle à cette gestion (Landry, 1990b ; Wajcman, 1998). Plusieurs policières disent avoir évité de postuler un poste pour ces raisons, les ressacs étant d'autant plus durs qu'on dénigre leurs compétences, qu'on attribue leur promotion à leur pouvoir de séduction, ou encore aux programmes d'équité qui les auraient favorisées injustement (Martin, 1987 ; Walker, 1993).

Cinquante et un pour cent des hommes [...] croyaient que les femmes jouissaient d'un traitement préférentiel et obtenaient toujours des promotions accélérées, après avoir accumulé le minimum d'état de service, alors qu'on laissait de côté des policiers plus qualifiés. Cette situation contribuait, selon eux, à un sentiment de désespoir qui nuisait grandement au moral au sein du service. (Walker, 1993, p. 159.)

Dans cette même enquête (Walker, 1993), 60 % des policières ont souligné que dans un contexte encore réticent à leur présence, les promotions accélérées pour augmenter le nombre de femmes aux postes de gestion n'avaient pas nécessairement un effet bénéfique. Pour cette raison, plusieurs d'entre elles les évitaient.

Elles ont dit craindre de participer au processus d'avancement parce qu'elles ne voulaient pas obtenir une promotion pour des raisons symboliques. Elles ont souligné que l'avancement accéléré ne pouvait, à long terme, que nuire à la personne et au service. Comme les femmes trouvent déjà difficile d'être acceptées dans des circonstances normales, l'avancement basé uniquement sur le fait que la personne est une femme ne peut que nuire à l'ensemble des policières. Il n'y a aucun doute, d'après les répondantes, que les femmes méritent d'être promues, mais elles jugent essentiel de mériter une promotion par son rendement et grâce au respect de ses collègues. (Walker, 1993, p. 158.)

Les femmes doivent également accepter qu'il est légitime d'être en compétition avec leurs collègues de travail. Des études constatent que dans leur enfance, les femmes gestionnaires ont fait davantage de sports de compétition et plus de jeux avec les garçons. Ce n'est pas la complexité des jeux ici qui est marquante ; elle est identique chez les deux sexes. C'est le caractère plus compétitif des jeux masculins qui semble avoir joué le plus grand rôle, en les amenant à accepter davantage que si on veut gagner, la compétition fait partie du jeu (Coats et Overman, 1992 ; Daune-Richard, 1992 ; Unger et Crawford, 1992).

Enfin, la tendance en milieu policier est de promouvoir les femmes à des fonctions spéciales ou administratives plutôt qu'à des postes « opérationnels », et souvent à des promotions latérales plutôt qu'ascensionnelles. Plusieurs policières sont assez favorables à ces promotions, car, même si elles changent peu leur salaire et ne constituent pas vraiment des postes d'autorité, elles ont le mérite de ne pas affecter leur climat de travail tout en leur donnant de nouvelles tâches (Martin, 1991 ; Walker, 1993).

Évaluation du rendement

Quels sont les facteurs qui peuvent augmenter la légitimité des femmes à présenter leur candidature pour une promotion ? Plusieurs études (Carli, 1991 ; Landry, 1990b ; Lips, 1991 ; Turner et Pratkanis, 1994a et b) indiquent que plus les gens ont de l'information sur la compétence d'une personne pour occuper un certain poste, plus ils considèrent légitime qu'elle entre en compétition pour une promotion. Toutefois, identifier ces compétences doit faire partie d'un processus formel de promotion dont la nécessité doit être reconnue et acceptée tant par les candidat(e)s que par les autres travailleurs. Ainsi, un programme d'équité en emploi où à compétences égales on embauche une femme sera mieux reçu.

Toutefois, les critères d'avancement et de promotion aux échelons hiérarchiques supérieurs ont des contours peu précis. Ils touchent aux capacités de gérer des opérations et des ressources humaines et matérielles, à la personnalité voulue pour mobiliser les subalternes sous son autorité, aux habiletés à prendre des décisions, et à la loyauté à l'institution — qualité de très grande importance dans la police. Cette situation laisse la policière candidate à une promotion plus vulnérable à l'aléatoire de décisions subjectives, car ces critères de promotion amènent à privilégier l'évaluation du rendement par le superviseur et celle des compétences par l'entrevue.

En ce qui a trait à l'évaluation du rendement par le superviseur, nombre de policières la jugent inadéquate, et avec raison, selon les études (Coleman, 1992 ; Jackson, 1997 ; McCulloch et Schetzer, 1993 ; Walker, 1993) :

> Les évaluations individuelles des policiers reflètent les attitudes du superviseur à son égard bien plus qu'une mesure de leur performance. (Linden et Fillmore, 1993, p. 113. Notre traduction.)

Pour ce qui est de l'entrevue, les critères d'évaluation sont trop souvent flous :

> Presque tous les services de police du Canada ont recours à l'entrevue avec un jury de promotion. Malheureusement, trop peu de ces jurys effectuent l'évaluation de qualités bien définies reliées au poste à l'aide de questions systématiques se rapportant au comportement. [...] Une entrevue de promotion doit avoir un objectif plus précis que la seule volonté de choisir le meilleur candidat parce que les différents membres du jury n'ont probablement pas tous la même notion de ce qu'on veut dire par « meilleur » candidat. (Coutts, 1990, p. 126.)

Le renforcement de procédures formelles d'évaluation exemptes de biais sexistes aiderait les policières (Martell, 1991). À cet effet, Martin (1989) et Walker (1993) avaient noté que les services de police qui avaient des procédures formelles de promotion avaient plus de policières promues au rang de sergent que les autres services de police.

En plus de la subjectivité des évaluations de rendement, lors de l'entrevue, l'évaluation que le candidat fera de sa propre performance va influencer la perception que l'on aura de ses compétences. Idéalement, un candidat doit pouvoir attribuer en partie ses succès à des causes internes, soit ses habiletés, ses compétences, sa motivation, ses efforts, etc., et ses échecs à des causes externes sur lesquelles il a peu d'emprise (conjoncture particulière, hasard, etc.). Une étude de Ayers-Nachamkin (1992) indique que trop souvent les femmes ont tendance à inverser ce tableau lors des entrevues, surtout si elles postulent pour des tâches typées masculines. Pour se conformer aux attentes à l'égard de leur sexe, elles présentent une image modeste, non agressive de leur cheminement de carrière, expliquant davantage leurs succès par la chance, le hasard des circonstances (causes externes qui ne relèvent pas d'elles) et leurs échecs par des erreurs personnelles (causes internes dont elles sont responsables). Elles minimisent ainsi leur compétence. Mais il s'agit bien d'apparences pour répondre à des attentes de rôle. Lorsque les femmes évaluent leurs compétences à partir d'un test écrit, la sous-évaluation a tendance à disparaître (Beyer, 1990; Denmark, 1993; Heatherington et autres, 1993; Love et Singer, 1988; Singer et Love, 1988).

La masculinité de l'autorité

Plus il y a de pouvoir attaché à un poste, plus il y a de possibilités qu'un homme soit perçu comme étant plus apte à l'occuper qu'une femme. Les différences de salaire entre des gestionnaires masculins et féminins traduisent souvent les différences d'autorité du poste, et les femmes, qui ont moins accès aux postes d'autorité, occupent généralement des postes de gestion moins bien payés (Glick, 1991; Pruvost, 2007, 2008; Reskin et Ross, 1995; Wajcman, 1998). Cela ne signifie pas que les femmes ont moins de compétence ou sont moins motivées que les hommes à occuper des postes de pouvoir. C'est que pour utiliser ce pouvoir efficacement, la personne a besoin d'avoir une autorité crédible.

Les hommes ont une autorité qui provient de leur catégorie sociale avant même que n'entre en jeu l'autorité de l'individu. L'autorité est une forme de pouvoir qui permet que les choses soient faites lorsqu'elles sont demandées. Ce qui est dit ou écrit ne veut dire que ces mots, jusqu'à ce que leur pouvoir vienne de leur « auteur ». Quand nous parlons d'autorité, nous parlons de ce qui fait qu'une personne compte. (Bailey et Gayle, 1993, p. 358. Notre traduction.)

Cette autorité associée à la rationalité est beaucoup plus difficilement reconnue aux femmes, que l'on considère comme dominées par les émotions. Bien entendu, cette distinction entre les émotions et la raison est également sexuée, relevant de la perception des comportements :

Par exemple, une action spécifique ou une expérience peut être définie comme « ferme », « décisive » et « rationnelle » quand on l'interprète chez un homme, et « tyrannique », « hystérique » et « irrationnelle » quand on l'interprète chez une femme. [...] Les mêmes comportements de gestion seront interprétés différemment selon le sexe du gestionnaire. (Wajcman, 1998, p. 61-62. Notre traduction.)

Ainsi, lorsqu'il parle, l'homme apparaît plus « naturellement » investi d'une autorité que la femme, et ce, même par les femmes (Bailey et Gayle, 1993 ; Carli, 1991 ; Denmark, 1993 ; Glick, 1991 ; Johnson, 1993, 1994 ; Korabik et autres, 1993 ; L'Heureux-Barrett et Barnes-Farrell, 1991 ; Martin, 1992 ; Unger et Crawford, 1992 ; Wood, 1994). À cet égard, Grennan (1993) avait constaté que la majorité des policières préféraient un supérieur masculin. Il faut prendre en compte cette autorité « naturelle » attribuée aux hommes et ce charisme[54] qui facilitent l'acceptation de directives lorsqu'on examine la distribution des

---

54. « Le charisme s'entend d'un pouvoir fondé sur une croyance collective dans les vertus exceptionnelles d'un leader, que cette croyance repose, du reste, sur une réalité objective ou sur une illusion. » (De Coster, 1990, p. 138.)

femmes dans les postes de gestion et leur rareté dans certains lieux, particulièrement de haute direction[55] (Adler, 1993, 1994 ; Alvesson et Billing, 1997 ; Cormier, 1990 ; Landry, 1990a et b ; Lips, 1991 ; Reskin et Ross, 1995 ; Savage et Witz, 1992 ; Unger et Crawford, 1992 ; Wajcman, 1998).

Mais les valeurs organisationnelles de gestion, typées masculines, sont-elles en train de changer dans la police ?

Femmes au pouvoir

Tout le discours sur les valeurs changeantes des organisations qui amèneraient des manières plus « féminines » de gérer est passablement exagéré (Alvesson et Billing, 1997 ; Wajcman, 1998). En milieu policier en particulier, malgré tout le discours communautaire qui réclame une gestion fondée sur la communication et la participation, on inscrit le niveau hiérarchique de la personne sur son uniforme, persévérant dans un style paramilitaire de gestion (Evans-Davies, 1991 ; Ott, 1989).

Certains attendent de l'arrivée des policières aux postes de gestion qu'elles modifient cette situation grâce à leurs habiletés « naturelles » de communication et de gestion participative. Ces attentes ont le problème de maintenir les stéréotypes voulant que l'autorité ne peut être que masculine (Wajcman, 1998), et elles font encore une fois reposer sur les femmes des changements qui devraient provenir des organisations. De plus, il n'est pas du tout certain que les femmes arrivent avec ces habiletés « naturelles » de gestion (Brown et Campbell, 1994 ; Heidensohn, 1992). En fait, la multiplication des études sur le sujet ces dernières années indique

---

55. Il y aurait une analyse à faire sur les policières qui ont obtenu des promotions afin de voir le type de pouvoir qu'elles détiennent dans les postes occupés.

clairement qu'un style « féminin » de gestion plus démocratique n'est pas une donnée automatique. La question est beaucoup plus complexe si on tient compte des attentes d'autorité liées au poste, du type de tâches qui y sont rattachées, de l'expérience des femmes gestionnaires, de la réaction du milieu à leur autorité, du type de milieu organisationnel, de leur nombre, etc. (Alvesson et Billing, 1997 ; Lortie-Lussier, 2001). Sur ce dernier point, les impératifs de la structure hiérarchique actuelle de la police cloisonnent grandement les policières occupant des postes d'autorité dans un style de gestion traditionnel si elles veulent maintenir la perception de leur autorité par leurs subordonnés (Lebeuf et Szabo, 1994).

> Les femmes gestionnaires sont isolées dans un environnement masculin et peuvent trouver qu'un style « relationnel » est inefficace, rencontrant de nombreuses résistances. Face à cette opposition, les femmes gestionnaires isolées sont forcées de s'orienter vers des stratégies de gestion plus typiquement masculines [...]. Les femmes gestionnaires, forcées de s'intégrer à un modèle de gestion typiquement masculin, se retrouvent coincées : elles risquent maintenant d'apparaître agressives et non féminines. (Lipman-Blumen, 1992, p. 199. Notre traduction.)

De plus, il ne faut pas oublier que les femmes qui sont devenues gestionnaires dans ces milieux sont généralement plus indépendantes et prêtes à prendre des risques que leurs collègues masculins. Car pour ces derniers, les obstacles organisationnels sont peu nombreux et la promotion, une voie normale dans leur carrière. Pour accéder à des postes d'autorité, les femmes ont probablement une personnalité assez forte. Contrairement aux femmes à la base qui cherchent à intégrer la culture organisationnelle masculine, elles ont accepté la visibilité de leurs actions et la non-conformité de leurs choix. Ainsi, on ne peut pas nécessairement déduire des comportements et des attitudes des femmes demeurées à la base ceux des femmes qui se sont orientées vers des postes d'autorité (Bertrand, 1998 ; Hatcher, 1991). D'ailleurs, une étude de Russo et autres (1991) constatait que les femmes dans les postes de pouvoir avaient peu tendance à attribuer leur succès à la chance, et croyaient en leur compétence professionnelle. En fait, elles aiment l'autonomie et la possibilité de défis plus intéressants que leur autorité procure (Jenkins, 1994 ; Maillé, 1997).

Mais quel type de gestion adopter ?

> Les femmes qui adoptent un style de gestion conforme au stéréotype masculin se retrouvent dans une double contrainte puisque, en tant que femmes, l'on s'attend à ce qu'elles aient un style correspondant plutôt au stéréotype féminin, alors qu'en tant que gestionnaires, l'on s'attendrait à ce qu'elles adoptent le style masculin. (Landry, 1990b, p. 133.)

Ces attentes culturelles contradictoires sont d'autant plus fortes que le poste occupé est typé masculin (Alvesson et Billing, 1997 ; Baber et Allen, 1992 ; Butler et Geis, 1990, Carli, 1991 ; Hartman et autres, 1991 ; Martin, 1992 ; Wajcman, 1998). Si les femmes occupant des postes d'autorité n'y répondent pas de manière satisfaisante, elles risquent aisément d'être perçues incompétentes (Butler et Geis, 1990). Mais y répondre de manière satisfaisante n'est pas chose facile. Sur le plan des apparences, elles doivent continuellement jouer sur la ligne de démarcation entre le féminin et le masculin : avoir l'air féminines pour ne pas perdre leur crédibilité comme femmes, mais pas trop pour conserver l'apparence mâle de l'autorité (Alvesson et Billing, 1997 ; Martin, 1992 ; Sims et autres, 1993). Pour répondre à cette exigence, elles auront tendance à désexualiser au maximum les perceptions à leur égard, tout en demeurant suffisamment féminines pour éviter que leur pouvoir n'apparaisse trop agressif. Le maintien de la « désexuation » de leur poste va se jouer dans nombre de détails :

- Être discrètes sur l'achat de tampons pour leurs menstruations ou encore sur leur ménopause, pour éviter que l'on explique leurs décisions par des sauts biologiques d'humeur (Wajman, 1998)[56].

- Être attentives au choix du vocabulaire pour justifier des décisions en ne se référant pas trop à la dynamique familiale pour préserver leur autorité dans un monde de gestion où les métaphores renvoyant aux mondes sportif ou militaire sont courantes (Alvesson et Billing, 1997 ; Martin, 1987, 1989).

- Être attentives à la manière dont on s'adresse à elles. Les femmes qui tiennent à être désignées par le titre masculin d'un poste de pouvoir sont perçues comme ayant plus d'autorité que celles qui féminisent leur titre ou laissent la possibilité d'appellations plus familières (Dion et Schuller, 1990). Si les compétences de la femme sont reconnues à ce poste, cette féminisation ou cette familiarité amène toutefois la perception que l'autorité sera compréhensive, perception cette fois attachée au stéréotype féminin.

- Être attentives aux manifestations physiques à l'égard des employés de manière à éviter toute interprétation sexuelle. Le caractère sexué des rapports homme-femme dans la police fait en sorte qu'il est difficile pour une policière en autorité de manifester sa satisfaction par des gestes amicaux ou des paroles encourageantes, souvent sujettes à interprétation. Par exemple, si, par amitié, par besoin de parler ou encore pour régler un problème avec un employé, elle invite un subordonné à prendre un verre comme le ferait un gars dans la même situation, elle risque les soupçons d'avances sexuelles (Martin, 1987).

---

56. Contrairement aux femmes au bas de l'échelle hiérarchique qui, au contraire, voudraient que l'on ouvre cette question de la ménopause et des changements qui y sont reliés pour être mieux informées et préparées (High et Marcellino, 1994).

Les policières au pouvoir ne peuvent échapper à ce jeu du féminin et du masculin, du fait que leur petit nombre dans ces postes les rend très visibles. Elles ne peuvent passer inaperçues. Elles sont connues et reconnues (Alvesson et Billing, 1997 ; Konrad et autres, 1992 ; Landry, 1990b). Le prix de cette situation : une augmentation du stress (Alvesson et Billing, 1997 ; Wajcman, 1998). Et l'unique moyen à leur disposition pour gagner en crédibilité est de travailler très fort (Landry, 1990a et b).

Leur acceptation par les collègues masculins peut également passer par un test de loyauté à leur égard. Par exemple, devant elles, ils vont critiquer les femmes dans la police et solliciter leur appui, en les considérant comme des exceptions à la règle. Certaines vont entrer dans le jeu. Leur situation de pionnières les rend fragiles (Landry, 1990b). D'autres, au fur et à mesure des années d'expérience, deviennent plus sensibles aux conditions de discrimination à l'égard des policières et aux diverses formes de résistance qui créent des obstacles à leur cheminement de carrière. Cette prise de conscience s'est traduite chez certaines policières par une volonté d'augmenter leur pouvoir dans l'organisation, afin d'effectuer des changements dans la culture policière (Ostiguy, 1997).

Mais l'exercice de ce pouvoir ne se fait pas nécessairement avec la solidarité des policières de la base, prises dans la dynamique des rapports souvent hostiles entre la base et l'autorité hiérarchique. Les policières au pouvoir disent d'ailleurs trouver du soutien principalement dans leur réseau hors du milieu policier (Brown et Campbell, 1994). La chef du Service de police de Guelph, Lenna Bradburn, explique la nécessité de briser la structure paramilitaire dans laquelle s'inscrit la gestion policière pour modifier cette situation d'hostilité entre la base et l'autorité :

> Lorsque je suis arrivée au Service de police de Guelph, il s'agissait d'un service très traditionnel où le style de gestion était très auto-

cratique et centralisé. Vous dire que cette façon de procéder était tout à fait opposée à la mienne est bien peu dire. Au cours des deux dernières années, nous avons consacré beaucoup de temps à inculquer des principes de gestion participative, à faire participer des membres de première ligne à la prise de décision et à encourager les membres à être créatifs. Nous disposons maintenant d'une base et d'une infrastructure qui nous permettent de faire progresser l'organisation. (Bradburn, 1997, p. 133.)

En fait, plus une organisation démocratise sa gestion, valorisant la communication plutôt que la hiérarchie, plus on reconnaît aux femmes la capacité d'exercer un poste d'autorité (Alvesson et Billing, 1997 ; Carli, 1991). Mais, comme mentionné plus haut, ce n'est pas aux policières à faire ces changements même si plusieurs ont des attentes à cet égard dans la police.

D'une part, elles n'ont pas nécessairement la crédibilité, ou même le goût, pour modifier la gestion paramilitaire actuelle. D'autre part, les organisations policières n'ont pas à faire porter aux femmes des changements structurels qui relèvent de leur responsabilité. Ces attentes à l'égard des femmes gestionnaires évitent de s'interroger sur le rôle des organisations policières pour changer la culture policière. Les policières, bien sûr, peuvent être des agentes de changement de cette culture. Mais cela ne doit pas se faire à leurs risques et périls, parce que ces changements ne sont pas inscrits dans la trajectoire globale des organisations policières.

Policières et policiers : les changements

C'est la non-acceptation des femmes dans mon milieu de travail qui m'a poussée à devenir officier. Mon objectif était d'obtenir des grades pour avoir du pouvoir, puisque le pouvoir dans un système hiérarchique tel que le nôtre nous permet de changer les choses. (Lison Ostiguy, inspectrice-chef, SPCUM, 1997, p. 139.)

L e droit des femmes à devenir policières est de plus en plus reconnu. Toutefois, comme nous l'avons vu, nombre d'obstacles demeurent quant à leur intégration adéquate dans le milieu policier et ces difficultés constituent toujours une des principales causes de leur attrition.

En fait, la principale menace que représentent les policières pour nombre de policiers est à l'image professionnelle masculine de la police inscrite dans sa culture paramilitaire. Cette menace s'inscrit dans les remises en question de certaines pratiques de sélection, de formation, d'évaluation et de promotion et de pratiques plus générales de travail.

Pour que celles-ci ne se retrouvent pas piégées et isolées par ces remises en question, il faut d'une part, disent les policières plus anciennes, que les policières participent aux réseaux d'entraide qui se sont formés, dont plusieurs se retrouvent sur Internet (voir Annexe I), afin d'acquérir certaines capacités de mettre au point des stratégies transformatrices. D'autre part, il faut que les organisations conçoivent plus adéquatement leur rôle dans la modification de la culture professionnelle paramilitaire afin de répondre aux changements attendus dans la police aujourd'hui.

Les stratégies transformatrices

Comme leur répartition demeure fort inégale dans les divers services policiers et qu'elles sont souvent isolées, surtout dans les plus petites municipalités (voir Annexe IV), la participation à des réseaux de policières permet « de mettre en commun des préoccupations analogues, d'exprimer leurs frustrations au sujet du travail » et leur assure un soutien (Walker, 1993, p. 122). On constate que plus se tissent des réseaux de solidarité indépendants des différences hiérarchiques, plus les femmes gagnent en soutien et en confiance dans l'organisation, plus elles peuvent initier des stratégies transformatrices.

En effet, au fur et à mesure que les policières croissent en nombre et gagnent en pouvoir, elles peuvent employer les réseaux à l'élaboration de « stratégies transformatrices » du milieu, c'est-à-dire des stratégies d'action visant à modifier la culture organisationnelle, à opérer des changements qui concernent tant les hommes que les femmes.

Pour cela, il faut que ces réseaux s'entendent sur les positions à défendre. Également, nombre de ces changements peuvent être voulus par des policiers, et il faut savoir les inclure dans ces revendications. Plus les policiers se joindront aux revendications des réseaux de policières, plus la force de leur action croîtra. Enfin, il faut une persévérance qui exige des investissements à long terme. Plus on est nombreux, moins on risque de s'essouffler et plus on est capable de constituer une force de changement crédible et efficace.

Il nous apparaît que seules des interventions qui donnent la parole à tous les membres d'une organisation, qui élucident au fur et à mesure les résistances, les peurs et les oppositions, qui confrontent les différentes logiques en présence ont des chances d'engager une organisation dans un mouvement de changement avec les pertes, les deuils et les souffrances qu'implique tout changement, mais aussi avec les forces vives ainsi libérées. (Cormier, 1990, p. 473.)

Bien sûr, ces stratégies transformatrices impliquent des engagements exigeants chez des policières qui doivent déjà travailler très fort pour maintenir leur crédibilité. À cette fin, il est important que les organisations policières prennent adéquatement leurs responsabilités pour soutenir les stratégies transformatrices en amorçant dès maintenant certains changements de la culture professionnelle.

Changer la culture professionnelle

Pour les femmes

Les organisations policières doivent abandonner le mythe rassurant voulant qu'au fur et à mesure que les policières seront plus nombreuses, tant à la base qu'aux postes décisionnels, les éléments de la profession qui créent des obstacles à leur intégration disparaîtront d'eux-mêmes. D'une part, ce n'est pas aux femmes à changer la culture policière et, d'autre part, il ne faut pas présumer que plus de policières signifie plus d'agentes de changement de cette culture, les motivations des hommes et des femmes à entrer dans la profession étant identiques.

Cela ne signifie pas que les organisations policières ne doivent pas travailler à accroître activement et considérablement le nombre de femmes dans la police. C'est d'abord et avant tout une question de justice sociale (Bégin, 1998). De plus, une étude de

Lortie-Lussier (2001) indique que lorsqu'une proportion de plus de 20 % de femmes existe dans une profession, les évaluations positives de leurs compétences et l'acceptation de leur présence s'accroissent considérablement chez les hommes. C'est le cas de quelques grandes villes au Canada. Elle note toutefois qu'en ce qui concerne les femmes aux postes de gestion, les résultats sont plus variables. Cela tiendrait entre autres au fait qu'à ce niveau hiérarchique, plusieurs hommes n'ont eu ni à étudier ni encore moins à travailler avec des femmes pendant des années, contrairement aux plus jeunes. Les changements d'attitudes sont alors plus difficiles chez nombre d'entre eux.

Toutefois, il ne faut pas confondre ces changements d'attitudes à l'égard des femmes avec l'abolition des obstacles à leur intégration. Cette confusion amène aisément les organisations à attendre un nombre magique de femmes dans la profession et à restreindre leur action à quelques gestes publics pour prouver qu'elles font quelque chose, plutôt que de travailler activement à lever les obstacles de fond qui touchent à la culture organisationnelle de la profession. Ce rôle proactif pour soutenir les policières et assumer les nouvelles problématiques suscitées par leur présence signifie principalement :

– l'examen des pratiques de travail pour distinguer celles qui relèvent des nécessités de la fonction, de celles qui relèvent d'une culture masculine discriminant inutilement les femmes ;

– l'examen des pratiques discriminatoires dans les évaluations et les promotions ;

– la mise en place de politiques, de stratégies de prévention et de services en matière de harcèlement sexiste et sexuel ;

– la prise en compte des couples de policiers au travail ;

– la réduction des difficultés de conciliation du travail et de la famille.

Ces actions ne sont pas que pratiques discriminatoires mesurables quantitativement et résolues par de simples procédures formelles, même si ces dernières sont importantes. Si les organisations policières limitent leur rôle à cela sans tenir compte des résistances socioémotives en jeu dans la remise en question de la culture professionnelle,

> [...] de telles mesures risquent de susciter l'apparition de subtiles opérations de sabotage ou de créer, au sein d'une organisation, des tensions qui pourraient s'avérer coûteuses pour tous et à tous les niveaux, y compris au plan économique. (Cormier, 1990, p. 462.)

Les policières en savent quelque chose, elles qui vivent les ressacs des collègues à cause de mesures spéciales pour les accommoder plutôt que des changements en profondeur dans la culture organisationnelle. Pour ces raisons, plusieurs en sont venues à craindre et même à détester les programmes d'équité qui génèrent une diminution de la confiance en leurs compétences et même de l'hostilité à leur présence. C'est pourquoi les organisations policières doivent accompagner l'implantation des programmes d'équité de stratégies qui touchent à la transformation des valeurs et des attitudes responsables de ces réactions.

Certains de ces éléments renvoient bien sûr à des problématiques plus larges : les rapports de pouvoir entre les sexes dans la société, le soutien étatique à la famille, les critères organisationnels du profil idéal de carrière, etc. Toutefois, cela ne doit pas faire oublier le rôle central des organisations policières dans la modification des éléments de l'idéologie professionnelle qui discriminent non seulement les femmes, mais empêchent des transformations en profondeur de la police.

Pour la police

Le discours qui fait reposer les changements de la culture professionnelle de la police sur les aptitudes « naturelles » qu'auraient les femmes vers d'autres formes d'intervention plus conciliatoires et d'autres formes de gestion plus participatives, nie la responsabilité des organisations policières à effectuer des changements en profondeur de cette culture. Au centre de ces changements, il y a la remise en question par les organisations policières de l'image même de la police telle qu'elle s'est développée depuis le début du siècle, où la fonction de répression s'est inscrite dans une symbolique militaire de combat et une gestion paramilitaire.

Dans ce contexte, l'affirmation masculine traditionnelle est venue s'inscrire dans la culture et les pratiques, répondant aux rapports sociaux de sexe. L'importance, encore aujourd'hui, de la force physique dans les critères de sélection, et du caractère paramilitaire de nombreuses formations données par les institutions policières, témoignent de la persistance de ce passé lourd de conséquences pour les policières. Si certaines normes ne correspondent pas aux exigences de la fonction, elles sont discriminatoires pour tout le monde, hommes et femmes, et il faut les modifier, évitant les accommodements qui relèvent davantage de la protection de l'image paramilitaire de la profession que de la réalité des pratiques. Si on veut une police moins autoritaire, la formation est un lieu clé pour produire autre chose qu'un modèle professionnel basé sur l'action et le combat, là encore bien loin des pratiques au quotidien.

Il ne s'agit pas ici de « féminiser » la profession en remettant en question cette image traditionnelle de la police. Il s'agit d'établir des formations et des critères de sélection basés sur des compétences qui correspondent à la réalité de leurs pratiques et, de manière plus globale, à ce que nous attendons de la police aujourd'hui. Comme on peut le voir, l'intégration des policières, à cet égard, s'inscrit dans les débats beaucoup plus larges qui ont lieu à l'heure actuelle sur le rôle de la police et sur nos attentes quant à ses formes d'intervention.

Bibliographie

Pony Express, La revue nationale de la GRC. Janvier 2000, p. 32-33.

Actes du colloque sur la femme policière, S'unir pour grandir ensemble. Nicolet, Québec : Institut de police du Québec, 1999.

ABBOTT, P. et C. WALLACE. *Introduction to Sociology.* New York, Routledge, 1999, chap. 6.

ABEL, Emily. « Collective Protest and the Meritocracy : Faculty Women and Sex Discrimination Lawsuits », dans *Women and Symbolic Interaction.* Allen & Unwin Inc., 1987, chap. 20.

ACKER, J. « Hierarchies, Jobs, Bodies : A Theory of Gendered Organizations », dans *Gender & Society,* 1990, vol. 4, (2), p. 139-158.

ADLER, M.A. « Male-Female Power Differences at Work : A Comparison of Supervisors and Policy makers », dans *Sociological Inquiry,* 1994, vol. 64, (1), p. 37-55.

ADLER, M.A. « Gender Differences in Job Autonomy : the Consequences of Occupational Segregation and Authority Position », *The Sociological Quarterly,* 1993, vol. 34, (3), p. 449-465.

ALAIN, M. « Une mesure de la propension des policiers québécois à dénoncer des comportements dérogatoires, éléments de culture policière et cultures organisationnelles », dans *Déviance et société,* 2004, vol. 28, (1), p. 3-31.

ALAIN, M. et M. GRÉGOIRE. « L'éthique policière est-elle soluble dans l'eau des contingences de l'intervention ? Les recrues québécoises, trois ans après la fin de la formation initiale », dans *Déviance et Société,* 2007, vol. 31, (3), p. 257-281.

ALCOCK, J.E., D.W. CARMENT et S.W. SADARA. *A Textbook of Social Psychology.* Prentice Hall Canada Inc., 1994, 3e édition, chap. 6.

ALDOUS, J. « Specification and Speculation Concerning the Politics of Workplace Family Policies », dans *Journal of Family Issues,* 1990, vol. 11, (4), p. 355-367.

ALLEN, M.S. *The Pioneer Policewoman.* New York, AMS Press Inc., 1973, ©1925.

ALLEN, T.D., J.E.A. RUSSELL et M.C. RUSH. « The Effects of Gender and Leave of Absence on Attributions for High Performance, Perceived Organizational Commitment, and Allocation of Organizational Rewards », dans *Sex Roles,* 1994, vol. 31, (7-8), p. 443-464.

ALVESSON, M. et Y.D. BILLING. *Understanding Gender and Organizations*. Londres, Sage Publications, 1997.

ANDERSON, C.J. et C. FISHER, « Male-Female Relationships in the Workplace : Perceived Motivations in Office Romance », *Sex Roles*, 1991, vol. 25, (3-4), p. 163-180.

ANDERSON, D. *The Unfinished Revolution*. Toronto, Doubleday, 1991, extrait : p. 198-224.

ANDERSON, M.L. *Thinking about Women*. New York, Macmillan, 1993, 3ᵉ édition.

ANDREWS, A. et L. BAILYN. « Segmentation and Synergy, Two Models of Linking Work and Family », dans *Men, Work and Family*. J. C. Hood (éd.), Londres, Sage Publications, 1993, p. 262-275.

APPIER, J. *Policing Women: The Sexual Politics of Law Enforcement and the LAPD*. Philadelphie, Temple University Press, 1998.

APPIER, J. « Preventive Justice : The Campaign for Women Police, 1910-1940 », dans *Women & Criminal Justice*, 1992, vol. 4, (1), p. 3-36.

ARCAND, S. *Policier : un métier de tout repos ?* Montréal, Guérin, 1976.

ARCAND, S. et J.-P. BRODEUR. *Sur les objectifs de la police*. Mémoire présenté au Conseil de sécurité de la Communauté urbaine de Montréal. Montréal, Les Cahiers de l'École de criminologie, 1979, nº 4.

ARKKELIN, D. et R. O'Connor, Jr. « The "Good" Professional : Effects of Trait-Profile Gender Type, Androgyny, and Likableness on Impressions of Incumbents of Sex-Types Occupations », dans *Sex Roles*, 1992, vol. 27, (9-10), p. 517-531.

ASBURY, K.E. « Une police innovatrice : la patrouille pédestre de la division 31 du Grand Toronto », dans *Journal du Collège canadien de police*, 1989, vol. 13, (3), p. 180-197.

ASSOCIATION CANADIENNE DES CHEFS DE POLICE. *La police et les relations raciales : comment l'approche communautaire peut rehausser l'efficacité du travail policier*. Ottawa, Éditions ACCP, 1992.

AVIOLI, P.S. et E. KAPLAN. « A Panel Study of Married Women's Work Patterns », dans *Sex Roles*, 1992, vol. 26, (5-6), p. 227-242.

AYERS-NACHAMKIN, B. « The Effects of Gender-Role Salience on Women's Causal Attributions for Success and Failure », dans *New Directions in Feminist Psychology*, I.C. Chrisler et D. Howard (dir.), Springer, 1992, p. 226-238.

BABER, K.M. et K.R. ALLEN. *Women & Families*. New York, The Guilford Press, 1992, chap. 6.

BAILEY, G. et N. GAYLE. *Sociology, An Introduction*. Toronto, Oxford University Press, 1993.

BARAK, A., W.A. FISHER et S. HOUSTON. « Individual Difference Correlates of the Experience of Sexual Harassment Among Female University Students », dans *Journal of Applied Social Psychology*. 1992, vol. 22, (1), p. 17-37.

BARATTA, A. et H. WAGNER. « Débat : Société du risque et contrôle social, Risque, sécurité et démocratie », dans *Déviance et Société*, 1994, vol. 18, (3), p. 331-332.

BARBER, P.G. « Conflicting Loyalties. Gender, Class and Equity Politics in Working Class Culture », dans *Canadian Woman Studies*, 1992, vol. 12, p. 80-83.

BARR, P.A. « Perceptions of Sexual Harassment », dans *Sociological Inquiry*, 1993, vol. 63, (4), p. 460-470.

BARTOL, C.R., G.T. BERGEN, J.S. VOLCKENS et K.M. KNORAS. « Women in Small-Town Policing : Job Performance and Stress », dans *Criminal Justice and Behavior*, 1992, vol. 19, (3), p. 240-259.

BAUDOUX, C. « Famille et carrière : le cas des gestionnaires féminines en éducation », dans *Recherches féministes*, 1992, vol. 5, (2), p. 79-122.

BAXTER, J. « Power Attitudes and Time : The Domestic Division of Labour », dans *Journal of Comparative Family Studies*, 1992, vol. XXIII, (2), p. 165-182.

BAYLEY, D.H. *Police for Future*. Oxford, Oxford University Press, 1994.

BAYLEY, D.H. *Gérer l'avenir : Perspectives d'avenir pour les services de police canadiens.* Ottawa, Solliciteur général du Canada, 1991.

BAYLEY, D.H. et J. GAROFALO. « The Management of Violence by Police Patrol Officers », dans *Understanding Policing*, K.R.E. McCormick et L.A. Visano (dir.), Toronto, Canadian Scholars Press, 1992, chap. 11.

BEAUCHESNE, L. « Les recherches en Amérique du Nord sur l'entrée des femmes dans la police : les difficultés d'intégration dans une culture organisationnelle masculine », dans *Déviance et Société*, 1999, vol. 23, (3), p. 341-362.

BECKWITH, J.B. « Stereotypes and Reality in the Division of Household Labor », *Social Behavior and Personality*, 1992, vol. 20, (4), p. 283-288.

BECRAFT, C. « Women in the Military 1980-1990 », dans *Women & Criminal Justice*, 1992, vol. 4, (1), p. 137-154.

BEEDER, A. « A War Story. Women Police in Buckinghamshire 1940-1945. An On-going Battle ? », dans *The Police Journal*, 1992, p. 326-328.

BÉGIN, M. *Towards a Critical Mass : Women in Politics.* New Delhi, JP Naik Memorial Lecture, Centre for Women's Development Studies, 1998.

BÉLANGER, M. *Modèles de police communautaire, recrutement, formation et projet de formation à la Sûreté du Québec, dans les collèges du Québec et à l'Institut de police du Québec.* Thèse de maîtrise au Département de criminologie de l'Université d'Ottawa, 1997.

BELKNAP, J. « Women in Conflict : An Analysis of Women Correctional Officers », dans *Women & Criminal Justice*, 1991, vol. 2, (2), p. 89-115.

BELKNAP, J. et J.K. SHELLEY. « New Lone Ranger : Policewomen on Patrol », dans *American Journal of Police*, 1993, vol. 12, (2), p. 47-75.

BENNETT, T. « Recent Developments in Community Policing », dans *Police Force, Police Service*, M. Stephens et s. Becher, (dir.), Londres, The Macmillan Press, 1994, chap. 5.

BENNETT, W. et K.M. HESS. *Management & Supervision in Law Enforcement.* New York, West Publishing Company, 1992, chap. 8.

BERG, B.L. *Law Enforcement.* Boston. Allyn and Bacon, 1992, chap. 9-10.

BERTRAND, M.-A. « Les obstacles au changement dans la condition des femmes », dans *Les cahiers de recherches criminologiques*, CICC, 1998.

BEYER, S. « Gender Differences in the Accuracy of Self-Evaluations of Performance », dans *Journal of Personality and Social Psychology*, 1990, vol. 59, (5), p. 960-970.

BIELBY, W.T. et D.D. BIELBY. « I Will Follow Him : Family Ties, Gender-Role Beliefs, and Reluctance to Relocate for a Better Job », dans *American Journal of Sociology*, 1992, vol. 97, (5), p. 1241-1267.

BIELBY, W.T. et J.N. BARON. « Men and Women at Work : Sex Segregation and Statistical Discrimination », dans *Social Stratification*, D.B. Grusley (éd.), Oxford, Westview Press, 1994, p. 606-632.

BIERNAT, M. et C.B. WORTMAN. « Sharing of Home Responsibilities Between Professionally Employed Women and Their Husbands », dans *Journal of Personality and Social Psychology*, 1991, vol. 60, (6), p. 844-860.

BILL, B. et P. NAUS. « The Role of Humor in the Interpretation of Sexist Incidents », dans *Sex Roles*, 1992, vol. 27, (11-12), p. 645-661.

BINGHAM, S.G. (éd.). *Conceptualizing Sexual Harassment as Discursive Practice*. Londres, Praeger, 1994.

BINGHAM, S.G. et L.S. SCHERER. « Factors Associated with Responses to Sexual Harassment and Satisfaction with Outcome », dans *Sex Roles*, 1993, vol. 29, (3-4), p. 239-269.

BISAILLON, G. et A. DURIVAGE. « Perspectives des relations de travail chez les policiers québécois », dans *Journal du Collège canadien de police*, 1991, vol. 15, (2), p. 121-140.

BITTMAN, M. et F. LOVEJOY. « Domestic Power : Negotiating and Unequal Division of Labour within a Framework of Equality », *ANZJS*, 1993, vol. 29, (3), p. 302-321.

BITTNER, E. *Aspects of Police Work*. Boston, Northeastern University Press, 1990.

BLAIN, J. « I can't come in today, the baby has chickenpox ! Gender and Class Processes in How Parents in the Labour Force Deal with the Problem of Sick Children », dans *Canadian Journal of Sociology*, 1993, vol. 18, (4), p. 405-429.

BLANK, R.H. *Fetal Protection in the Workplace : Women's Rights, Business Interests, and the Unborn*. New York, Columbia University Press, 1993.

BLOSSFELD, H.-P. et J. HUININK. « Human Capital Investments or Norms of Role Transition ? How Women's Schooling and Career Affect the Process of Family Formation », dans *American Journal of Sociology*, 1991, vol. 97, (1), p. 143-168.

BLUMBERG, A.S. et A. NIEDERHOFFER. « The Social and Historical Setting », dans *The Ambivalent Force : Perspectives on the Police*. Toronto, Ginn and Company, 1970, chap. 1.

BLUMBERG, R.L. (éd.). *Gender, Family, and Economy : The Triple Overlap*. Londres, Sage Publications, 1991.

BOMBARDIER, D. « L'intégration des femmes dans les milieux traditionnellement masculins : portrait général et perspective d'avenir », *Actes du colloque sur la femme policière, S'unir pour grandir ensemble*. Nicolet, Institut de police du Québec, 1999, p. 11-15.

BONNER, T.N. *To the Ends of the Earth : Women's Search for Education in Medicine*. Cambridge, Harvard University Press, 1992.

BRADBURN, L. « Au-delà des obstacles et des contraintes », dans *Les femmes dans la police au Canada : Les années 2000 et après – les défis*, Actes du séminaire tenu au Collège canadien de police du 20 au 23 mai 1997, sous la direction de M.E. Lebeuf et J. McLean. Ottawa, Collège canadien de police, 1997, p. 128-136.

BRAND, S. et B.J. HIRSCH. « The Contribution of Social Networks, Work-shift Schedules, and the Family Life Cycle to Women's Well-being », dans *Personal Relationships and Social Support*, S. Duck (éd.), Londres, Sage Publications, 1990, p. 158-172.

BRANNEN, J. et P. MOSS. *Managing Mothers : Dual Earner Households after Maternity Leave*. Londres, Unwin Hyman, 1991.

BRANSCOMBE, N.R. et S. OWEN. « Influence of Gun Ownership on Social Inference about Women and Men », dans *Journal of Applied Social Psychology*, 1991, vol. 21, (19), p. 1567-1589.

BRAYFIELD, A.A. « Employment Resources and Housework in Canada », dans *Journal of Marriage and the Family*, 1992, vol. 54, p. 19-30.

BREAKWELL, G.M. « Social Beliefs about Gender Differences », dans *The Social Psychological Study of Widespread Beliefs*, C. Fraser et G. Gaskell (dir.), Oxford, Clarendon Press, 1990, p. 210-225.

BREECE, C.M. et G.R. GARRETT. « Women in Policing : Changing Perspectives on the Role », dans *Criminal Justice Planning*, J.E. Scott et S. Dinitz (dir.), New York, Praeger Publishers, 1977, chap. 1.

BRETON, P. « Police et communication : le cas des interventions de Police-Secours », dans *Déviance et Société*, 1989, vol. 13, (4), p. 301-326.

BREWER, J.D. « Hercules, Hippolyte and the Amazons — or Policewomen in the RUC », dans *British Journal of Sociology*, 1991, vol. 42, (2) p. 231-247.

BREWER, J.D. et K. MAGEE. *Inside the RUC*. Oxford, Clarendon Press, 1991, chap. 8.

BRINES, J. « Economic Dependency, Gender, and the Division of Labor at Home », dans *American Journal of Sociology*, 1994, vol. 100, (3), p. 652-688.

BROCKMAN, J., D. EVANS et K. REID. « Feminist Perspectives for the Study of Gender Bias in the Legal Profession », dans *Revue Femmes et droit*, 1992, vol. 5, (1), p. 37-62.

BRODEUR, J.-P. « Police et cœrcition », dans *Revue française de sociologie*, 1994, vol. XXXV, p. 457-485.

BRODEUR, J.-P. « Policer l'apparence », dans *Revue canadienne de criminologie*, 1991, p. 285-332.

BRODEUR, J.-P. « La police : mythes et réalités », dans *Criminologie*, 1984, vol. XVII, (1), p. 9-41.

BROOKS, L. et A.R. PEROT. « Reporting Sexual Harassment. Exploring a Predictive Model », dans *Psychology of Women Quarterly*, 1991, vol. 15, p. 31-47.

BROWN, J.M. et E.A. CAMPBELL. *Stress and Policing, Sources and Strategies*. Chichester, John Wiley & Sons, 1994, chap. 5.

BROWN, L.P. « A New Style : Neighborhood Oriented Policing », dans *Crime Prevention and Control in the United States and Japan*, Kusuda-Smick (éd.), New York, Transnational Juris Publications, 1990, p. 84-96.

BROWN, J. et S. DAVIES. « Étude britannique sur le harcèlement sexuel et la discrimination fondée sur le sexe », dans *La Gazette de la GRC*, 1994, vol. 56, (9), p. 14-16.

BUERGER, M.E. « A Tale of Two Targets : Limitations of Community Anticrime Actions », dans *Crime & Delinquency*, 1994, vol. 40, (3), p. 411-436.

BURKE, M. « Prejudice and Discrimination : the Case of the Gay Police Officers », dans *The Police Journal*, 1994a, p. 219-229.

BURKE, M. « Homosexuality as Deviance : The Case of the Gay Police Officer », dans *British Journal of Criminology*, 1994b, vol. 34, (2), p. 192-203.

BURKE, M. « Cop Culture and Homosexuality », dans *The Police Journal*, 1992, vol. V, (1), p. 30-39.

BURSTEIN, P. « Attacking Sex Discrimination in the Labor Market : A Study in Law and Politics », dans *Social Forces*, 1989, vol. 67, (3), p. 641-665.

BURTON, C. *The Promise and the Price : The Struggle for Equal Opportunity in Women's Employment*. Sydney, Allen & Unwin, 1991.

BUSSON, B.A. « Transformer les comportements traditionnels et les attitudes à l'égard des policières », dans *Les femmes dans la police au Canada : Les années 2000 et après – les défis*. Actes du séminaire tenu au Collège canadien de police du 20 au 23 mai 1997, sous la direction de M.E. Lebeuf et J. McLean. Ottawa, Collège canadien de police, 1997, p. 143-147.

BUTLER, D. et F.L. GEIS. « Nonverbal Affect Responses to Male and Female Leaders : Implications for Leadership Evaluations », dans *Journal of Personality and Social Psychology*, 1990, vol. 58, (1), p. 48-59.

BYERS, E.S. *La situation des femmes et des minorités visibles dans la police au Nouveau-Brunswick*, Rapport préparé pour la Division des services de police du ministère du Solliciteur général du Nouveau-Brunswick, 31 octobre 1997.

CAIN, M. « Trends in the Sociology of Police Work », dans *Understanding Policing*, K.R.E. McCormick et L.A. Visano (dir.), Toronto, Canadian Scholars Press, 1992, chap.1.

CALASANTI, T.M. et C.A. BAILEY. « Gender Inequality and the Division of Household Labor in the United States and Sweden : A Socialist-Feminist Approach », dans *Social Problems*, 1991, vol. 38, (1), p. 34-53.

CAMPBELL, A. et S. MUNCER. « Sex Differences in Aggression : Social Representation and Social Roles », dans *British Journal of Social Psychology*, 1994, vol. 33, p. 233-240.

CANN, A. « Stereotypes about Physical and Social Characteristics Based on Social and Professional Competence Information », dans *The Journal of Social Psychology*, 1991, vol.131, (2), p. 225-231.

CARLI, L.L. « Gender, Status, and Influence », dans *Advances in Group Processes*, 1991, vol. 8, p. 89-113.

CARRIER, J. *The Campaign for the Recruitment of Women as Police Officers*. Aldershot, Avebury, 1989.

CARRIERE, K.D. et R.V. ERICSON. *Crime Stoppers : A Study in the Organization of Community Policing.* Toronto, Centre of Criminology, 1989.

CARRIGAN, D.O. *Crime and Punishment in Canada.* Toronto, McClelland & Stewart, 1991.

CARTER, D.L. et L.A. RADELET. *The Police and the Community.* Toronto, Prentice-Hall, 1999, 6ᵉ édition.

CARTER COLLINS, S. « Who's Policing the Police? », dans *Policing : An International Journal of Police Strategies & Management,* 2004, vol. 27, (4), p. 512-538.

CASSIDY, M.L. et B.O. WARREN. « Status Consistency and Work Satisfaction among Professional and Managerial Women and Men », dans *Gender & Society,* 1991, vol. 5, (2), p. 193-206.

CASTONGUAY, C. (prés.). *L'urbanisation au Québec.* Québec, Rapport du Groupe de travail sur l'urbanisation, 1978.

CENTRE CANADIEN DE LA STATISTIQUE JURIDIQUE. *Les ressources policières au Canada.* Ottawa, Statistique Canada, n° 85-225-XIF au catalogue, 2007.

CHACKO, J. et S.E. NANCOO, (dir.), *Community Policing in Canada.* Toronto, Canadian Scholars' Press, 1993.

CHARLES, M.T. « Women in Policing : the Physical Aspect », dans *Journal of Police Science and Administration,* 1982, vol. 10, (2), p. 194-205.

CHRISTENSEN, K.E. et G. L. STAINES. « Flextime », dans *Journal of Family Issues,* 1990, vol. 11, (4), p. 455-476.

CHRISTIE, G. *Choosing a Career in Policing : Service, Law an Order and the Effects of Gender.* Polycopié, 1992.

CLAIRMONT, D. « Community-based Policing : Implementation and Impact », dans *Revue canadienne de criminologie,* 1991, p. 469-484.

CLOUTIER, J. « La gestion au féminin : une réalité », dans les *Actes du colloque sur la femme policière, S'unir pour grandir ensemble.* Nicolet, Institut de police du Québec, 1999, p. 68-71.

COATES, L. et B. de BLOIS. « Le perfectionnement professionnel. La conférence de l'administration centrale sur les questions relatives aux femmes », dans *Entre Nous,* 2000, vol. 25, (4), p. 8-9.

COATS, P.B. et S.J. OVERMAN. « Chilhood Play Experiences of Women in Traditional and Nontraditional Professions », dans *Sex Roles,* 1992, vol. 26, (7-8), p. 261-271.

COBBLE, D.S. (éd.). *Women and Unions : Forging a Partnership.* Ithaca, ILR Press, 1993.

COCKBURN, C. *In the Way of Women : Men's Resistance to Sex Equality in Organizations.* Ithaca, ILR Press, 1991.

CODERRE, C., A. DENIS et C. ANDREW. *Femmes de carrière, carrières de femmes.* Ottawa, Presses de l'Université d'Ottawa, 1999.

COFFEY, A.R. *Law Enforcement. A Human Relations Approach.* New Jersey, Prentice Hall, 1990.

COFFEY, S., J. BROWN ET S. SAVAGE. « Policewomen's Career Aspirations : Some Reflections on the Role and Capabilities of Women in Policing in Britain », dans *Police Studies*, 1992, vol. 15, (1), p. 13-19.

COHEN, B.J. « Can Changing the Workplace Transform Child Welfare ? », dans *Controversial Issues in Social Policy*, H.J. Karger et J. Midgley (dir.), Allyn & Bacon, 1994, chap. 14.

COITEUX, J. et A. GAUDREAULT. « La police communautaire : des bases encore fragiles », dans *Revue canadienne de criminologie*, 1991, vol. 3, p. 551-554.

COLEMAN, J.L. *Police Assessment Testing*. Illinois, Charles Thomas Publisher, 1992, 2ᵉ édition, chap. 2.

COLLIER, R. *Combating Sexual Harassment in the Workplace*. Buckingham-Philadelphie, Open University Press, 1995.

COLLIN, J. « Les femmes dans la profession pharmaceutique au Québec : rupture ou continuité ? », dans *Recherches féministes*, 1992, vol. 5, (2), p. 31-56.

COLLINS, M.A. et L.A. ZEBROWITZ. « The Contributions of Appearance to Occupational Outcomes in Civilian and Military Settings », dans *Journal of Applied Social Psychology*, 1995, vol. 25, (2), p. 129-163.

COLLINSON, D.L. *Managing the Shopfloor : Subjectivity, Masculinity and Workplace Culture*. New York, Walter de Gruyter, 1992.

COLTRANE, S et M. ISHII-KUNTZ. « Men's Housework : A Life Course Perspective », dans *Journal of Marriage and the Family*, 1992, vol. 54, p. 43-57.

COMITÉ CONSULTATIF MINISTÉRIEL SUR LES FEMMES DANS LES FORCES CANADIENNES. *Deuxième rapport annuel 1991-1992*. Ottawa, 1992.

COMITÉ DE LA PLANIFICATION STRATÉGIQUE DE LA FORMATION DES POLICIERS. *Un système d'apprentissage de la police de l'Ontario : Rapport final et recommandations*. Ontario, Ministère du Solliciteur général, 1992.

COOK, A.H. *The Most Difficult Revolution : Women an Trade Unions*. Ihaca, ILR Press, 1992a.

COOK, A.H. « Can Work Requirements Accommodate to the Needs of Dual-Earner Families ? », dans *Dual-Earner Families*, S. Lewis, D.N. Izraeli et H. Hootsmans (dir.), Londres, Sage Publications, 1992b.

CORBEIL, C., F. DESCARRIES, C. GILL et C. SÉGUIN. « Perceptions et pratiques des mères en emploi. De quelques paradoxes », dans *Recherches féministes*, 1992, vol. 7, (1), p. 95-124.

CORBO, C. et autres. « La police et les communautés noires à Montréal : le rapport Corbo », dans *Justice et communautés culturelles ?*, A. Normandeau et E. Douyon (dir.), Montréal, Éditions du Méridien, 1995, p. 195-243.

CORMIER, S. 1990, « Les interventions auprès des femmes. Formes actuelles et perspectives d'avenir », dans *Méthodes d'intervention, développement organisationnel*, R. Tessier et Y. Tellier (dir.), Québec, PUQ, 1990, chap. 14.

COSER, R.L. *In defense of Modernity*. Stanford University Press, 1991, chap. 6.

COULSON, R. *Police Under Pressure*. Abingdon, UK : Greenwood Press, 1993.

COURNOYER, D. « Le poids de la différence », Colloque sur la femme policière, *S'unir pour grandir ensemble*. Nicolet, Institut de police du Québec, 1999, p. 73-75.

COUTTS, L.M. « Embauche et promotion dans les services de police : Méthodes et résultats », dans *Journal du Collège canadien de police*, 1990, vol. 14, (2), p. 101-129.

COVIN, T.J. et C.C. BRUSH. « An Examination of Male and Female Attitudes toward Career and Family Issues », dans *Sex Roles*, 1991, vol. 25, (7-8), p. 393-415.

CRANK, J.P. et L.E. WELLS. « The Effects of Size and Urbanism on Structure among Illinois Police Departments », dans *Justice Quarterly*, 1991, vol. 8, (2), p. 169-186.

CROSBY, F. « Understanding Affirmative Action », dans *Basic and Applied Social Psychology*, 1994, vol. 15, (1-2) p. 13-41.

CROSBY, F. et S. CLAYTON. « Affirmative Action and the Issue of Expantancies », *Journal of Social Issues*, vol. 46, (2), 1990, p. 61-79.

CRYDERMAN, B., C. O'TOOLE et A. FLERAS. *Police, Race and Ethnicity*. Toronto, Butterworths, 1992, 2ᵉ édition.

DALE, A. « Professionalism and the Police », dans *The Police Journal*, 1994, p. 209-218.

DANCER, L.S. et L.A. GILBERT. « Spouses' Family Work Participation and Its Relation to Wives' Occupational Level », dans *Sex Roles*, 1993, vol. 28, (3-4), p. 127-145.

DANTZKER, M.L. et M.P. MITCHELL. *Understanding Today's Police*. Toronto, Prentice Hall Canada, 1995.

DAUNE-RICHARD, A.-M. et A.M. DEVREUX. « Rapports sociaux de sexe et conceptualisation sociologique », dans *Recherches féministes*, 1992, vol. 592, p. 7-30.

DAWN JACKSON, L. « Traverser la frontière : une étude sur les policières dans le Canada atlantique », dans *Les femmes dans la police au Canada : Les années 2000 et après – les défis*, Actes du séminaire tenu au Collège canadien de police du 20 au 23 mai 1997, sous la direction de M.E. Lebeuf et J. McLean. Ottawa, Collège canadien de police, 1997, p. 109-120.

DeCARUFEL, A. et J.-L. SCHAAN. « Les conséquences de la semaine de travail comprimée sur l'attachement des policiers à leur emploi », dans *Journal du Collège canadien de police*, 1990, vol. 14, (2), p. 83-100.

DeCOSTER, M. *Introduction à la sociologie*. De Bœck Université, 1990, 2ᵉ édition, chap. 2.

De LAET, C. et L. van OUTRIVE. « Recherches sur la police, 1978-1982 » (Seconde partie), dans *Déviance et société*, 1984, vol. 8, (4), p. 377-414.

DENE, E. « A Comparison of the History of the Entry of Women into Policing in France and England and Wales », dans *The Police Journal*, 1992a, p. 236-242.

DENE, E. « Maternity Rights for the Policewomen within the E.C. », dans *The Police Journal*, 1992b, p. 21-25.

DENE, E. « Positive Discrimination v. Positive Action », dans *The Police Journal*, 1990, p. 64-67.

DENMARK, F.L. « Women, Leadership, and Empowerment », dans *Psychology of Women Quarterly*, 1993, vol. 17, p. 343-356.

DeVRIES, S. et T.F. PETTIGREW. « A Comparative Perspective on Affirmative Action : Positieve Aktie in the Netherlands », dans *Basic and Applied Social Psychology*, 1994, vol. 15, (1-2), p. 170-199.

DION, J. et M.-F. GAMACHE (dir.), *La police à l'heure de la concertation*. Montréal, Communauté urbaine de Montréal, 1992.

DION, K.L. et R. A. SCHULLER. « Ms and the Manager : A Tale of Two Stereotypes », dans *Sex Roles*, 1990, vol. 22, (9-10), p. 569-577.

DIOTTE, M. *Incidences professionnelles de la présence de couples policiers*. Thèse de maîtrise, département de criminologie, Université d'Ottawa, 2001.

DIOTTE, M. *Rapport sur la question de la maternité chez les policières*. Polycopié, 2000.

DÖLLING, D. et T. FELTES (éd.). *Community Policing*. Felix-Verlag, 1993.

DORESS-WORTERS, P.B. « Adding Elder Care to Women's Multiple Roles : A Critical Review of the Caregiver Stress and Multiple Roles Literatures », dans *Sex Roles*, 1994, vol. 31, (9-10), p. 597-607.

DOSS, M.T. « Police Management : Sexual Misconduct and the Right to Privacy », dans *Journal of Police Science and Administration*, 1990, vol. 17, (3), p. 194-204.

DOWLING, J.B. et V.N. MacDONALD. *Les réalités sociales du travail policier : essais sur la théorie de la légitimation*. Ottawa, Collège canadien de police, 1983.

DRAPEAU, M. *Le harcèlement sexuel au travail*. Cowansville, Yvon Blais, 1991.

DRENNAN, A. « Quelles sont les mesures d'incitation au travail pour le personnel des services de police ? », dans *Les femmes dans la police au Canada : Les années 2000 et après – les défis*, Actes du séminaire tenu au Collège canadien de police du 20 au 23 mai 1997, M.E. Lebeuf et J. McLean (dir.), Ottawa, Collège canadien de police, 1997, p. 96-101.

DUBÉ, Y. et L. BEAUCHESNE. *Désarmer la police ? Un débat qui n'a pas eu lieu*. Montréal, Éditions du Méridien, 1993.

DUBOIS, D. *Les femmes dans les professions traditionnellement masculines : les difficultés d'intégration des agentes correctionnelles au Canada*. Université d'Ottawa, Département de criminologie, thèse de maîtrise, 1992.

DUBOIS, G. « Combattre les stéréotypes », dans *Les femmes dans la police au Canada : Les années 2000 et après – les défis*, Actes du séminaire tenu au Collège canadien de police du 20 au 23 mai 1997, M.E. Lebeuf et J. McLean (dir.), Ottawa, Collège canadien de police, 1997, p. 149-152.

DUCHESNEAU, J. « Les femmes dans la police – un compte rendu à jour », dans *Les femmes dans la police au Canada : Les années 2000 et après – les défis*, Actes du séminaire tenu au Collège canadien de police du 20 au 23 mai 1997, M.E. Lebeuf et J. McLean (dir.), Ottawa, Collège canadien de police, 1997, p. 211-217.

DUDEN, B. *Disembodying Women : Perspectives on Pregnancy and the Unborn*. Cambridge, Harvard University Press, 1993.

DUFORT, F. « La théorie des interactions symboliques et les enjeux de l'entrée massive des femmes en médecine », dans *Recherches féministes*, 1992, vol. 5, (2), p. 57-78.

DUNCAN, M.D.G. « L'incidence des relations sociopolicières sur la prévention et la détection criminelles », dans La Gazette de la GRC, 1992, vol. 54, (2), p. 1-6.

DUNHILL, C. (éd.). The Boys in Blue. Women's Challenge to the Police. Londres, Virago Press, 1989.

DUNN, S. « Les responsabilités des gestionnaires de la police et la question des femmes », dans Les femmes dans la police au Canada : Les années 2000 et après – les défis, Actes du séminaire tenu au Collège canadien de police du 20 au 23 mai 1997, M.E. Lebeuf et J. McLean (dir.), Ottawa, Collège canadien de police, 1997, p. 154-158.

DZEICH, W. et M. W. HAWKINS. « Les frontières interpersonnelles, une zone grise à éclaircir », dans La Gazette de la GRC, 1997, vol. 56, (9), p. 8-11.

EBERHARDT, J.L. et S.T. FISKE. « Affirmative Action in Theory and Practice : Issues of Power, Ambiguity, and Gender versus Race », dans Basic and Applied Social Psychology, 1994, vol. 15, (1-2), p. 201-220.

ELIZUR, D. « Gender and Work Values : A Comparative Analysis », dans The Journal of Social Psychology, 1994, vol. 134, (2), p. 201-212.

ELLIS, R.T. « Perceptions, attitudes et opinions des recrues », dans Journal du Collège canadien de police, 1991, vol. 14, (2) p. 97-120.

ELLIS, S., A. BARAK, et A. PINTO. « Moderating Effects of Personal Cognitions on Experienced and Perceived Sexual Harassment of Women at the Workplace », dans Journal of Applied social Psychology, 1991, vol. 21, (16), p. 1320-1337.

ENG, S. « Des politiques pour les femmes dans le domaine de la justice – besoin ou nécessité », dans Les femmes dans la police au Canada : Les années 2000 et après – les défis, Actes du séminaire tenu au Collège canadien de police du 20 au 23 mai 1997, M.E. Lebeuf et J. McLean (dir.), Ottawa, Collège canadien de police, 1997, p. 33-40.

ENGSTAD, P. et M. LIOY (dir.), Compte-rendu de l'atelier sur la productivité de la police. Ottawa, Solliciteur général du Canada, 1978.

EPSTEIN, C.F. « Tinkerbells and Pinups : The Construction and Reconstruction of Gender Boundaries at Work », dans Cultivating Differences, Michèle Lamont et Marcel Fournier (dir.), Chicago, The University of Chicago Press, 1992, chap. 10.

ERICSON, R.V. « The Police as Reproducers of Order », dans Understanding Policing, K.R.E. McCormick et L.A. Visano (dir.), Toronto, Canadian Scholars Press, 1992, chap. 8.

ERICSON, R.V., P.M. BARANEK et J.B.L. CHAN. Negotiating Control : A Study of News Sources. Milton Keynes, Open University Press, 1989.

ERMER, V.B. « Recruitment of Female Police Officers in New York », dans Journal of Criminal Justice, 1978, vol. 6, (3), p. 233-245.

ESPINOSA, D.J. « Affirmative Action : a Case Study of an Organizational Effort », dans Sociological Perspectives, 1992, vol. 35, (1), p. 119-136.

EVANS, P. et N. PUPO. « Parental Leave : Assessing Women's Interests », dans Femmes et droit, 1993, vol. 6, (2), p. 402-418.

EVANS-DAVIES, L. « La police et les policiers », dans Journal du Collège canadien de police, 1991, vol. 15, (3), p. 212-237.

FAHMI, P. *Femmes entre vie et carrière. Le difficile équilibre.* Montréal, Les éditions Adage inc., 1992.

FARRELL, A. *Crime, Class and Corruption : the Politics of the Police.* Londres, Bookmarks, 1992.

FELKENES, G.T. et J.R. SCHRŒDEL. « A Case Study of Minority Women in Policing », dans *Women & Criminal Justice*, 1993, vol. 4, (2), p. 65-89.

FELKENES, G.T., P. PERETZ et J.R. SCHRŒDEL. « An Analysis of the Mandatory Hiring of Females : The Los Angeles Police Department Experience », dans *Women & Criminal Justice*, 1993, vol. 4, (2), p. 31-63.

FELKENES, G.T. « Affirmative Action : Concept, Development and Legality », dans *Diversity, Affirmative Action and Law Enforcement*, G.T. Felkenes et P.C. Unsinger (dir.), Charles C. Thomas Publisher, 1992a, p. 3-24.

FELKENES, G.T. « Administration of Affirmative Action Policies », dans *Diversity, Affirmative Action and Law Enforcement*, G.T. Felkenes et P.C. Unsinger (dir.), Charles C. Thomas, Publisher, 1992b, p. 25-37.

FERREE, M.M. « The Gender Division of Labor in Two-Earner Marriages », dans *Journal of Family Issues*, 1991, vol. 12, (2), p. 158-180.

FIELDING, N.G. « Cop Canteen Culture », dans *Just Boys Doing Business ?*, T. Newburn et E.A. Stanko (dir.), Londres, Routledge, 1994, chap. 3.

FIELDING, N.G. et J. FIELDING. « Police Attitudes to Crime and Punishment. Certainties and Dilemmas », dans *British Journal of Criminology*, 1991, vol. 31, (1), p. 39-53.

FIJNAUT, C. « Les origines de l'appareil policier moderne en Europe de l'Ouest continentale », dans *Déviance et Société*, 1980, vol. 4, (1), p. 41.

FIJNAUT, C.J.C.F., E.G.M. NUYTEN-EDELBRŒK et J.L.P. SPICKENHEUER. « La lutte contre la criminalité par la police. Les résultats de vingt ans de recherches », dans *Déviance et Société*, 1987, vol. 11, (2), p. 163-179.

FORCESE, D. *Policing Canadian Society.* Prentice-Hall, 1999, 2e édition.

FORUM POUR UN QUÉBEC FÉMININ PLURIEL (Le). *Pour changer le monde*, forum tenu du 29 au 31 mai 1992. Montréal, Éditions Écosociété, 1994.

FOSTER, M.D., K. MATHESON et M. POOLE. « Responding to Sexual Discrimination : The Effects of Societal Versus Self-Blame », dans *The Journal of Social Psychology*, 1994, vol. 134, (6), p. 743-754.

FOUCAUDOT, M. et L. PRÉVOST. *Prévention de la criminalité et relations communautaires.* Montréal, Modulo, 1991.

FRATERNITÉ DES POLICIERS DE LA CUM. *La police par les policiers.* Mémoire présenté à la Commission Castonguay, 1977.

FRENETTE, M. C. « La formation policière – encore méconnue ou ignorée ? », dans *Revue canadienne de criminologie*, 1991, p. 435-457.

FRENCH, R. et A. BÉLIVEAU. *La GRC et la gestion de la sécurité nationale.* Toronto, Institut de recherches politiques, 1979.

FRIEDMANN, R.R. *Community Policing.* New York, St. Martin's Press, 1992, chap. 4.

FROST, S.N. « Une analyse de l'égalité des sexes », dans *Les femmes dans la police au Canada : Les années 2000 et après – les défis*, Actes du séminaire tenu au Collège canadien de police du 20 au 23 mai 1997, M.E. Lebeuf et J. McLean. Ottawa, Collège canadien de police (dir.), 1997, p. 84-94.

FUNK, A. et F. WERKENTIN. « Pour une nouvelle analyse du développement de la police en Europe Occidentale », dans *Déviance et Société*, 1978, vol. 2, (2), p. 97-129.

FYFE, J.J. « "Good" Policing », dans *The Socio-Economics of Crime and Justice*, B. Forst (éd.), New York, M.E. Sharpe, 1993.

GABIAS, M. et autres. *Droit pénal et pouvoirs policiers*. Montréal, Modulo, 1994.

GALINSKY, E. et P.J. STEIN. « The Impact of Human Resource Policies on Employees », dans *Journal of Family Issues*, 1990, vol. 11, (4), p. 368-383.

GAME, E.M. « Masculin-féminin », dans *Les valeurs des Français*, H. Riffault (dir.), Paris, PUF, 1994, chap. 7.

GASCON, C. *Sondage sur la représentation des membres des groupes désignés dans les services de police en vertu de l'équité en matière d'emploi*. GRC, Ottawa, Collège canadien de Police, 1995.

GELLER, P.A. et S.E. HOBFOLL. « Gender Differences in Job Stress, Tedium and Social Support in the Workplace », dans *Journal of Social and Personal Relationships*, 1994, vol. 11, p. 555-572.

GHOSH, S.K. *Women in Policing*. New Delhi, Light & Life Publishers, 1981.

GILBERT, L.A. « Reclaiming and Returning Gender to Context », dans *Psychology of Women Quarterly*, 1994, vol. 18, p. 539-558.

GLASS, B. 1997, « La valeur du réseautage », dans *Les femmes dans la police au Canada : Les années 2000 et après – les défis*, Actes du séminaire tenu au Collège canadien de police du 20 au 23 mai 1997, M.E. Lebeuf et J. McLean (dir.), Ottawa, Collège canadien de police, 1997, p. 102-107.

GLASS, J. « The Impact of Occupational Segregation on Working Conditions », dans *Social Forces*, 1990, vol. 68, (3), p. 779-796.

GLASS, J. et V. CAMARIGG. « Gender, Parenthood, and Job-Family Compatibility », dans *American Journal of Sociology*, 1992, vol. 98, (1), p. 131-151.

GLICK, P. « Trait-Based and Sex-Based Discrimination in Occupational Prestige, Occupational Salary, and Hiring », dans *Sex Roles*, 1991, vol. 25, (5-6), p. 351-378.

GOH, S.C. « Sex Differences in Perceptions of Interpersonal Work Style, Career Emphasis, Supervisory Mentoring Behavior, and Job Satisfaction », dans *Sex Roles*, 1991, vol. 24, (11-12), p. 701-710.

GOLDSTEIN, H. *Problem-Oriented Policing*. McGraw-Hill, 1991.

GOODALL, K. « "Public and Private" in Legal Debate », dans *International Journal of the Sociology of Law*, 1990, vol. 18, p. 445-458.

GOOGINS, B.K. *Work-Family Conflicts : Private Lives-Public Responses*. Greenwood Publishing Group, 1991.

GORGEON, C. « Socialisation professionnelle des policiers : le rôle de l'école », dans *Criminologie*, 1996, vol. XXIX, (2), p. 141-163.

GOSSETT, J.L. et J.E. Williams. « Perceived Discrimination Among Women in Law Enforcement », dans *Women & Criminal Justice*, 1998, vol. 10, (1), p. 53-73.

GRANT, A. *La police. Un énoncé politique.* Commission de réforme du droit du Canada, 1981.

GRAVEL, S. « Ma perception des policières », dans *Les femmes dans la police au Canada : Les années 2000 et après – les défis*, Actes du séminaire tenu au Collège canadien de police du 20 au 23 mai 1997, M.E. Lebeuf et J. McLean (dir.), Ottawa, Collège canadien de police, 1997, p. 175-179.

GREENE, J.R. et S.D. MASTROFSKI (dir.), *Community Policing Rhetoric or Reality.* Praeger Publishers, 1988.

GREGSON, N. et M. LOWE. « Waged domestic Labour and the Renegotiation of the Domestic Division of Labour within Dual Career Households », dans *Sociology*, 1994, vol. 28, (1), p. 5578.

GRENNAN, S. « A Perspective on Women in Policing », dans *It's a Crime, Women and Justice*, R. Muraskin et T. Alleman (dir.), New Jersey, Prentice Hall, 1993, chap. 9.

GRINC, R.M. « "Angels in Marble" : Problems in Stimulating Community Involvement in Community Policing », dans *Crime and Delinquency*, 1994, vol. 40, (3), p. 437-468.

GROUPE D'ÉTUDE ENTRE LA POLICE ET LES MINORITÉS RACIALES. *Rapport.* Ottawa, Solliciteur général du Canada, 1992.

HAAS, L. « Gender Equality and Social Policy », dans *Journal of Family Issues*, 1990, vol. 11, (4), p. 401-423.

HAGAN, J. « The Gender Stratification of Income Inequality among Lawyers », dans *Social Forces*, 1990, vol. 68, (3), p. 835-855.

HALE, D.C. et D.J. MENNITI. « Discrimination and Harassment : Litigation by Women in Policing » dans *It's a Crime, Women and Justice*, R. Muraskin et T. Alleman (dir.), Prentice Hall, 1993, chap. 10.

HAMILTON, D.L., S.J. SHERMAN et C.M. RUVOLO. « Stereotype-Based Expectancies : Effects on Information Processing and Social Behavior », dans *Journal of Social Issues*, 1990, vol. 46, (2) p. 35-60.

HANSEN, R.J. *Le harcèlement dans les forces canadiennes : sondage 1992.* Ontario, Unité de recherches psychotechniques des Forces canadiennes, 1993.

HARTMAN, S.J., R.W. GRIFFETH, M.D. CRINO et O.J. HARRIS. « Gender-Based Influences : The Promotion Recommendation », dans *Sex Roles*, 1991, vol. 25, (5-6), p. 285-300.

HARVEY, J. « Le leadership féminin dans les associations privées de charité protestantes au XIXe siècle à Montréal », dans *Les Bâtisseuses de la Cité*. Montréal, ACFAS 65-78, 1992.

HATCHER, M.A. « The Corporate Woman of the 1990s », dans *Psychology of Women Quarterly*, 1991, vol. 15, p. 251-259.

HATTY, S.E. « Police, Crime and the Media : An Australian Tale », dans *International Journal of the Sociology of Law*, 1991, vol. 19, p. 171-191.

HAYS, G. et K. MOLONEY. 1992, *Policewoman One : Twenty Years on the LAPD.* New York, Villard Books, 1992.

HEARN, J., D.L. SHEPPARD, P. TANCRED-SHERIFF, G. BURRELL (dir.), *The Sexuality of Organization*. Londres, Sage Publications, 1989.

HEATHERINGTON, L., K.A. DAUBMAN, C. BATES, A. AHN, H. BROWN et C. PRESTON. « Two Investigations of "Female Modesty" in Achievement Situations », dans *Sex Roles*, 1993, vol. 29, (11/12), p. 739-754.

HE, N., J. ZHAO & C.A. ARCHBOLD. « Gender and Police Stress », dans *Policing : An International Journal of Police Strategies & Management*, 2002, vol. 25, (4), 687-708.

HEIDENSOHN, F. *Women in control?* Oxford, Clarendon Press, 1992.

HEIKES, E.J. « When Men are the Minority : The Case of Men in Nursing », dans *The Sociological Quarterly*, 1991, vol. 32, (3), p. 389-401.

HEMMASI, M., L.A. GRAF et G.S. RUSS. « Gender-Related Jokes in the Workplace : Sexual Humor or Sexual Harassment? », dans *Journal of Applied Social Psychology*, 1994, vol. 24, (12), p. 1114-1128.

HENRIKSEN, S.P. « Harcèlement et autres formes de discrimination en milieu de travail », dans *Rapport d'enquête sur les employées du Service correctionnel du Canada dans la Région de l'Ontario*, Service correctionnel du Canada, 1993.

HESSING, M. « More than Clockwork : Women's Time Management in their Combined Workloads », dans *Sociological Perspectives*, 1994, vol. 37, (4) p. 611-633.

HESSING, M. « Talking shop(ping) : Office Conversations and Women's Dual Labour », dans *Cahiers canadiens de sociologie*, 1991, vol. 16, p. 23-49.

HEWSTONE, M., N. HOPKINS et D.A. ROUTH. « Cognitive Models of Stereotype Change : Generalization and Subtyping in Young People's Views of the Police », dans *European Journal of Social Psychology*, 1992, vol. 22, p. 219-234.

HIGH, R.V. et P.A. MARCELLINO. « Menopausal Women and the Work Environment », dans *Social Behavior and Personality*, 1994, vol. 22, (4), p. 347-354.

HILL, T.E. « The Message of Affirmative Action », dans *Social Philosophy & Policy*, 1991, vol. 8, (2), p. 108-129.

HOCHSCHILD, A. et A. MACHUNG. *The Second Shift : Working Parents and the Revolution at Home*. New York, Viking Penguin, 1989.

HOFFMAN, C. et N. HURST. « Gender Stereotypes : Perception or Rationalization? », dans *Journal of Personality and Social Psychology*, 1990, vol. 58, (2), p. 197-208.

HOLDAWAY, S. « Race Relations and Police Recruitment », dans *British Journal of Criminology*, 1991, vol. 31, (4) p. 365-382.

HOOD, J.C. (éd.). *Men, Work, and Family*. Londres, Sage Publications, 1993.

HOOPER, M. « Case Study of a Departmental Response to Affirmative Action Mandates : The Los Angeles Police Department », dans *Diversity, Affirmative Action and Law Enforcement*, G.T. Felkenes et P.C. Unsinger (dir.), Charles C. Thomas Publisher, 1992, p. 115-136.

HORNE, P. *Women in Law Enforcement*. Charles C. Thomas Publisher, 1980, © 1975.

HORT, B.E., B.I. FAGOT et M.D. LEINBACH. « Are People's Notions of Maleness More Stereotypically Framed than their Notions of Femaleness? », dans *Sex Roles*, 1990, vol. 23, (3-4), p. 197-212.

HUNT, J. « New Cops on the Street : Learning Normal Force », dans *Social Interaction, Readings in Sociology*, C. Clark et H. Robboy (dir.), New york, St. Martin's Press, 1992, 4ᵉ édition, p. 86-96.

HUNT, J. « The Logic of Sexism Among Police », dans *Women & Criminal Justice*, 1990, vol. 1, (2) p. 3-30.

INSTITUT DE POLICE DU QUÉBEC. *Révision du programme de la formation policière de base. Rapport final.* Groupe de travail : L. Thomassin, R. Bourget et J. Bourdeau, 1994.

INSTITUTE FOR THE STUDY OF LABOR AND ECONOMIC CRISIS. *The Iron Fist and the Velvet Glove, an Analysis of the US Police.* San Francisco, Crime and Social Justice Associates, 1982, 3ᵉ édition, chap. 2.

JACKSON, L.A. *Physical Appearance and Gender State.* New York, University of New York Press, 1992, chap. 4.

JACKSON, L.A. et K.S. ERVIN. « Height Stereotypes of Women and Men : The Liabilities of Shortness for both Sexes », dans *The Journal of Social Psychology*, 1992, vol. 132, (4), p. 433-445.

JACKSON, R. « Relations de travail dans les corps policiers au Canada : perspective actuelle », dans *Conflits et collaboration dans les relations de travail des policiers.* Hull, Journal canadien de police, 1978, chap. 2.

JACKSON, R.L. *Employment Equity and Ontario Police.* Toronto, Queen's University : Industrial Relations Centre, 1992.

JACOB, A. « Les relations police et minorités, enjeux et stratégies d'action », dans *Justice et Communautés culturelles ?* A. Normandeau et E. Douyon (dir.), Montréal, Éditions du Méridien, 1995, p. 245-278.

JACOBS, J.A. *Revolving Doors : Sex Segregation and Women's Careers.* Stanford University Press, 1989.

JACOBS, P. « How Female Police Officers Cope with a Traditionnaly Male Position », dans *Sociology and Social Research*, 1987, vol. 72, (1), p. 4-12.

JAIN, H.C. « An Assessment of Strategies of Recruiting Visible-Minority Police Officers in Canada : 1985-1990 », dans *Police Powers in Canada.* Toronto, UTP, 1994, chap. 8.

JAMIESON, BEALS, LALONDE and ASSOCIATES Inc. *Service correctionnel du Canada : Obstacles à l'emploi des femmes. Rapport final.* 1990.

JENKINS, S.R. « Structural Power and Experienced Job Satisfactions : The Empowerment Paradox for Women », dans *Sex Roles*, 1994, vol. 30, (5-6), p. 347-369.

JOHNSON, C. « Gender, Legitimate Authority, and Leader-Subordinate Conversations », dans *American Sociological Review*, 1994, vol. 59, p. 122-135.

JOHNSON. « Gender and Formal Authority », dans *Social Psychology Quarterly*, 1993, vol. 56, (3), p. 193-210.

JONES, J.R. *Ethical Issues in Policing and Corrections : Reputable Conduct.* Prentice Hall Canada, 1998.

JONES, S. *Policewomen and Equality Hampshire.* Macmillan Press, 1986.

JORDAN, J. « Will Any Women Do ? : Police, Gender and Rape Victims », dans *An International Journal of Police Strategies & Management*, 2002, vol. 25, (2), p. 319-344.

JOSHI, H. « Sex and Motherhood as Handicaps in the Labour Market », dans *Women's Issues in Social Policy*, M. Maclean et D. Groves (dir.), New York, Routledge, 1991, chap. 10.

JOSIAH, H. « Les femmes dans la police : l'élaboration de politiques novatrices », dans *Les femmes dans la police au Canada : Les années.2000 et après – les défis*, Actes du séminaire tenu au Collège canadien de police du 20 au 23 mai 1997, M.E. Lebeuf et J. McLean. Ottawa (dir.), Ottawa, Collège canadien de police, 1997, p. 72-82.

JOST, J.T. et M.R. BANAJI. « The Role of Stereotyping in System-Justification and the Production of False Consciousness », dans *British Journal of Social Psychology*, 1994, vol. 33, p. 1-27.

JURIK, N.C. « Striking a Balance : Female Correctional Officers, Gender Role Stereotypes, and Male Prisons », dans *Sociological Inquiry*, 1988, vol. 58, (3), p. 291-305.

JURIK, N.C. « An Officer and a Lady : Organizational Barriers to Women Working as Correctional Officers in Men's Prisons », dans *Social Problems*, 1985, vol. 32, (4), p. 375-388.

JUTEAU, N. « Ma carrière a été toute ma vie ; j'en suis sortie très gagnante et très forte », Colloque sur la femme policière, *S'unir pour grandir ensemble*. Québec, Institut de police du Québec, 1999, p. 77-79.

KAIN, E.L. *The Myth of Family Decline*. Toronto, Lexington Books, 1990, chap. 6 et 7.

KANTER, R.M. *Men and Women of the Corporation*. New York, Basic Books, 1977a.

KANTER, R.M. « Some Effects of Proportions on Group Life : Skew Sex Ratios and Responses to Token Women », dans *American Journal of Sociology*, 1977b, n° 82, p. 965-990.

KELLING, G. « L'évolution de la sûreté urbaine : le contexte historique et politique de la surveillance communautaire », dans D.J. Loree et C. Murphy (dir.), *La police et la collectivité dans les années 80 : progrès récents au niveau des programmes*. Ottawa, Ministère des Approvisionnements et Services, 1987, p. 13-26.

KELLY, K. « Les hommes, les femmes et la communication : conséquences pour les femmes dans les services de police », dans *Les femmes dans la police au Canada : Les années 2000 et après – les défis*, Actes du séminaire tenu au Collège canadien de police du 20 au 23 mai 1997, M.E. Lebeuf et J. McLean (dir.), Ottawa, Collège canadien de police, 1997, p. 201-209.

KELLY, W. et N. KELLY. *Policing in Canada*. Toronto, Macmillan Press, 1976.

KEMP, A.A. *Women's Work*. New Jersey, Prentice Hall, 1994.

KENNEDY, L.W. « L'évaluation de la police sociopréventive au Canada », dans *Journal du Collège canadien de police*, 1991, vol. 15, (4), p. 289-304.

KERR, J. « Le stress au féminin », dans *Pony Express*, octobre 1999, p. 24-25.

KESSLER, D.A. « Integrating Calls for Service with Community and Problem-Oriented Policing : A Case Study », dans *Crime & Delinquency*, 1993, vol. 39, (4), p. 485-508.

KIMMEL, M.S. « Masculinity as Homophobia. Fear, Shame, and Silence in the Construction of Gender Identity », dans *Theorizing Masculinities*, H. Brod et M. Kaufman (dir.), Londres, Sage Publications, 1994, chap. 7.

KINGSTON, P.W. « Illusions and Ignorance about the Family-Responsive Workplace », dans *Journal of Family Issues*, 1990, vol. 11, (4), p. 438-454.

KLOFAS, J., S. STOJKOVIC et D. KALINICH (dir.), *Criminal Justice Organisation*. Cole Publishing Company, 1990, extrait p. 160-163.

KŒNIG, D. *La police serait-elle la cause de la criminalité ? Activités policières, effectifs policiers et taux de criminalité*. Ottawa, Collège canadien de police, 1991.

KŒNIG, D.J., E.P.DeBECK et J. LAXTON. « Les activités ordinaires, les imminents changements sociaux et la police », dans *Journal du Collège canadien de police*, 1993, vol. 7, (2), p. 105-151.

KOLB, D.M. « Women's Work. Peacemaking in Organizations », dans *Hidden Conflict in Organizations*, D.M. Kolb et J.M. Bartunek (dir.), Londres, Sage Publications, 1992, chap. 3.

KONRAD, A.M., S. WINTER et B.A. GUTEK. « Diversity in Work Group Sex Composition : Implications for Majority and Minority Members », dans *Research in the Sociology of Organizations*, 1992, vol. 10, p. 115-140.

KORABIK, K., G.L. BARIL et C. WATSON. « Managers' Conflict Management Style and Leadership Effectiveness : The Moderating Effects of Gender », dans *Sex Roles*, 1993, vol. 29, (5-6), p. 405-420.

LALANDE, P. « Comment devient-on "réaliste" ? Une étude sur la trajectoire mentale des agents de probation », dans *Déviance et Société*, 1990, vol. 14, (1), p. 17-38.

LAMARCHE, É. *Le stress chez les membres de couples policiers*. Thèse de maîtrise au département de criminologie de l'Université d'Ottawa, 2000.

LANDRY, S. « Les femmes et la dynamique du pouvoir dans les groupes restreints », dans *Pouvoirs et cultures organisationnels*, R. Tessier et Y. Tellier (dir.), Québec, PUQ, 1990a, chap. 3.

LANDRY, S. « De l'insertion des femmes dans les hautes sphères des organisations », dans *Priorités actuelles et futures*, R. Tessier et Y. Tellier (dir.), Québec, PUQ, 1990b, chap. 6.

LANGLAIS, D. « Nous ne sommes plus à l'heure de l'acceptation de l'intégration des femmes dans la police », *Actes du colloque sur la femme policière, S'unir pour grandir ensemble*. Nicolet, Institut de police du Québec, 1999, p. 53-56.

LANGLOIS, S. et autres. *La société québécoise en tendances l960-l990*. Québec, Institut québécois de recherche sur la culture, 1990.

LAROCHE, D. « Le partage des travaux ménagers », dans *Statistiques sociales, les hommes et les femmes Québec*. Gouvernement du Québec, 1994, chap. 11.

LARROW, M.F. et M. WIENER. « Stereotypes and Desirability Ratings for Female and Male Roles », dans *New Directions in Feminist Psychology*, J.C. Chrisler et D. Howard (dir.), Springler Publishing Company, 1992, chap. 20.

LASLEY, J. « Fulfilling the Mandates of the Law : The Consent Decrees and Compliance », dans *Diversity, Affirmative Action and Law Enforcement*, G.T. Felkenes et P.C. Unsinger (dir.), Charles C. Thomas Publisher, 1992, p. 137-167.

LEBEUF, M.E. « L'évolution des femmes dans la police », *Actes du colloque sur la femme policière, S'unir pour grandir ensemble*. Nicolet, Institut de police du Québec, 1999, p. 16-37.

LEBEUF, M.E. « Les femmes dans la police – bilan et perspectives », dans *Les femmes dans la police au Canada : Les années 2000 et après – les défis*, Actes du séminaire tenu au Collège canadien de police du 20 au 23 mai 1997, M.E. Lebeuf et J. McLean (dir.), Ottawa, Collège canadien de police, 1997, p. XIII à XXIII.

LEBEUF, M.E. *Trois décennies de femmes dans la police. Une bibliographie commentée*. Ottawa, Collège canadien de police, 1996.

LEBEUF, M.E. *La restructuration du cours pour les cadres supérieurs de la police francophone au Canada : bilan et perspectives*. Collège canadien de police, document de travail, 1994.

LEBEUF, M.E. *L'obligation de rendre des comptes et la police communautaire au Canada, Un bilan des expériences, Ébauche de travail*. Ottawa, Collège canadien de police, 1993.

LEBEUF, M.-E. et D. SZABO. « Centralisation et décentralisation de la gestion des services de police. Éléments de compréhension, l'expérience canadienne », dans *Revue internationale de criminologie et de police technique*, 1994, vol. XLVII, (4), p. 476-487.

LEBLANC, D.R. « Le policier scolarisé : répercussions pour l'employeur », dans *Journal du Collège canadien de police*, 1989, vol. 13, (3), p. 198-227.

LeBRETON, D. *La sociologie du corps*. Paris, PUF, 1992.

LEGAULT, G. *Repenser le travail : quand les femmes accèdent à l'égalité*. Montréal, Éditions Liber, 1991.

LEIGHTON, B. N. « Visions of Community Policing : Rhetoric and Reality in Canada », dans *Revue canadienne de criminologie*, 1991, p. 485-522.

LEINEN, S. *Gay Cops*. New Jersey, Rutgers University Press, 1993.

LEMEL, Y. « Les activités domestiques : qui en fait le plus ? », dans *L'année sociologique*, 1993, vol. 43, p. 235-252.

LENTON, R.L. « Home versus Career : Attitudes towards Women's Work among Canadian Women and Men », dans *Cahiers canadiens de sociologie*, 1992, vol. 17, (1), p. 89-98.

LERO, D.S., H. GOELMAN, A.R. PENCE, L.M. BROCKMAN et S. NUTTAL. *Étude nationale canadienne sur la garde des enfants : Les régimes de travail des parents et leurs besoins en matière de garde des enfants*. Ottawa, Statistique Canada, 1992.

LERO, D.S., L.M. BROCKMAN, A.R. PENCE, H. GOELMAN, K.L. JOHNSON. *Étude nationale canadienne sur la garde des enfants : Avantages et flexibilité en milieu de travail : tour d'horizon des expériences vécues par les parents*. Ottawa, Statistique Canada, 1993.

LEWIS, S., D.N.IZRAELI et H. HOOTSMANS. « Towards Balanced Lives and Gender Equality », dans *Dual-Earner Families*, S. Lewis, D.N. Izraeli et H. Hootsmans (dir.), Londres, Sage Publications, 1992, chap. 13.

L'HEUREUX-BARRETT, T. et J.L. BARNES-FARRELL. « Overcoming Gender Bias in Reward Allocation. The Role of Expectations of Future Performance », dans *Psychology of Women Quarterly*, 1991, vol. 15, p. 127-139.

LINDEN, R. et C. FILLMORE. « An Evaluation Study of Women in Policing », dans *Evaluating Justice*, J. Hudson et J. Roberts (dir.), Toronto, Thompson Educational Publishing, 1993, p. 93-116.

LINDEN, R. « Attrition chez les hommes et les femmes membres de la Gendarmerie », dans *Journal du Collège canadien de police*, 1985, vol. 9, (1), p. 97-109.

LINDEN, R. *Les femmes et la police : étude des détachements de la GRC de la région immédiate de Vancouver*. Ottawa, Solliciteur général du Canada, 1984.

LINDEN, R. « Présence de la femme dans la police. Étude portant sur les détachements du district continental sud de la GRC », dans *Journal du Collège canadien de police*, 1983, vol. 7, (3), p. 232-244.

LINDEN, R. et C. MINCH. *Les femmes et la police : bilan*. Ottawa, Solliciteur général du Canada, 1984.

LIPMAN-BLUMEN, J. « Connective Leadership : Female Leadership Styles in the 21st-Century Workplace », dans *Sociological Perspectives*, 1992, vol. 35, (1), p. 183-203.

LIPS, H. ET N. COLWILL. « Issues in the Workplace », dans *Sex and Gender, An Introduction*, H.M. Lips (éd.), Londres, Mayfield Publishing Company, 1993, 2ᵉ édition, chap. 13.

LIPS, H. M. *Women, Men, and Power*. Toronto, Mayfield Publishing Company, 1991, chap. 9.

LOCK, J. *The British Policewomen. Her story*. Londres, Robert Hale, 1979.

LOREE, D.J. et R.W. WALKER (dir.), *Community Crime Prevention : Shaping the Future*. Ottawa, Canadian Police College, 1991.

LOREE, D.J. et C. MURPHY. *La police et la collectivité dans les années 80 : progrès récents au niveau des programmes*. Ottawa, Ministère des Approvisionnements et Services, 1987.

LORTIE-LUSSIER, M. « The Proportion of Women Managers : Where is the critical Mass ? », dans *Journal of Applied Social Psychology*, 2001.

LORTIE-LUSSIER, M. « L'avenir peut-il leur donner raison ? Les rôles sociaux atttendus à 30 ans par des étudiantes », dans *Recherches féministes*, 1992, vol. 5, (2), p. 149-158.

LOVE, K. et M. SINGER. « Self-Efficacity, Psychological Well-Being, Job Satisfaction and Job Involvement : a Comparison of Male and Female Police Officers », dans *Police Studies*, 1988, vol. 11, (2), p. 98-102.

LOWMAN, J. et B. MacLEAN. *Realist Criminology – Crime Control and Policing in the 1990's*. Toronto, University of Toronto Press, 1992.

LUNNEBORG, P.W. *Women Police Officers : Current Career Profile*. Charles C. Thomas, 1989.

LUNNEY, R.F. « L'influence des femmes sur les responsabilités des membres de la police », dans *Les femmes dans la police au Canada : Les années 2000 et après – les défis*, Actes du séminaire tenu au Collège canadien de police du 20 au 23 mai 1997, M.E. Lebeuf et J. McLean (dir.), Ottawa, Collège canadien de police, 1997, p. 168-173.

LUXTON, M. « The Gendered Division of Labour in the Home », dans *Social Inequality in Canada*, J. Curtis, E. Grabb et N. Guppy (dir.), Prentice Hall Canada, 1993, chap. 20.

MacCORQUODALE, P. et G. JENSEN. « Women in the Law : Partners or Tokens? », dans *Gender & Society*, 1993, vol. 7, (4), p. 582-593.

MacDONALD, V.N., M.A. MARTIN et A.J. RICHARDSON. « Violence physique et verbale chez les policiers », dans *Journal du Collège canadien de police*, 1985, vol. 9, (3), p. 324-373.

MACKIE, M. « Who is Laughing Now? The Role of Humour in the Social Construction of Gender », dans *Atlantis*, 1990, vol. 15, (2), p. 11-26.

MacKINNON, C. *Sexual Harassment of Working Women*. New Haven, Yale University Press, 1979.

MAHAJAN, A. *Indian Policewomen*. New Delhi, Deep & Deep Publications, 1982.

MAILLÉ, C. « L'utilisation du pouvoir à l'intérieur d'un système traditionnellement paternaliste », dans *Les femmes dans la police au Canada : Les années 2000 et après – les défis*, Actes du séminaire tenu au Collège canadien de police du 20 au 23 mai 1997, M.E. Lebeuf et J. McLean (dir.), Ottawa, Collège canadien de police, 1997, p. 26-32.

MAJOR, B. « Gender, Entitlement, and the Distribution of Family Labor », dans *Journal of Social Issues*, 1993, vol. 49, (3), p. 141-159.

MAJOR, B., J. FEINSTEIN et J. CROCKER. « Attributional Ambiguity of Affirmative Action », dans *Basic and Applied Social Psychology*, 1994, vol. 15, (1-2), p. 113-141.

MANKE, B., B.L. SEERY, A.C. CROUTER et S.M. McHALE. « The Three Corners of Domestic Labor : Mothers', Fathers', And Children's Weekday and Weekend Housework », dans *Journal of Marriage and the Family*, 1994, vol. 56, p. 657-668.

MANNING, P.K. « The Police », dans *Criminology*, J.F. Sheley (éd.), Wadsworth Publishing Company, 1991, chap. 16.

MARC-AURÈLE, J. « Notes pour une conférence », dans *Les femmes dans la police au Canada : Les années 2000 et après – les défis*, Actes du séminaire tenu au Collège canadien de police du 20 au 23 mai 1997, M.E. Lebeuf et J. McLean (dir.), Ottawa, Collège canadien de police, 1997, p. 181-188.

MARIN, R.J. « Une réflexion sur le professionnalisme et l'éthique dans le contexte policier », dans *Journal du Collège canadien de police*, 1991, vol. 15, (4), p. 305-325.

MARQUIS, G. « The Police as a Social Service in Early Twentieth-Century Toronto », dans *Histoire Sociale/Social History*, 1992, vol. XXV, (5), p. 335-348.

MARSDEN, L.R. « Work, Equality, and Public Policy », dans *Social Inequality in Canada*, J. Curtis, E. Grabb et N. Guppy (dir.), Prentice Hall Canada, 1993, 2ᵉ édition, chap. 14.

MARSH, C. et S. ARBER (dir.), *Families and Households : Divisions and Change.* New York, St. Martin's Press, 1992.

MARTELL, R.F. « Sex Bias at Work : The Effects of Attentional and Memory Demands on Performance Ratings of Men and Women », dans *Journal of Applied Social Psychology*, 1991, vol. 21, (23), p. 1939-1960.

MARTIN, C.A. *Capable Cops - Women Behind the Shield : A Selected Bibliography on Women Police Officers.* Public Administration Series, 1979.

MARTIN, J. « The Suppression of Gender Conflict in Organizations », dans *Hidden Conflict in Organizations*, D.M. Kolb et J.M. Bartuned (dir.), Londres, Sage Publications, 1992, chap. 7.

MARTIN, M.A. *Urban Policing in Canada, Anatomy of an Aging Craft.* Montréal/Kingston, McGill/Queen's University Press, 1995.

MARTIN, P.Y. « Gender, Interaction, and Inequality in Organizations », dans *Gender, Interaction and Inequality*, C.L. Ridgeway (dir.), New York, Springer-Verlag, 1992, p. 208-231.

MARTIN, S.E. « Outsider within the Station House : The Impact of Race and Gender on Black Women Police », dans *Social Problems*, 1994, vol. 41, (3), p. 383-400.

MARTIN, S.E. « The Effectiveness of Affirmative Action : the Case of Women in Policing », dans *Justice Quarterly*, 1991, vol. 8, (4), p. 489-504.

MARTIN, S.E. *On the Move : the Status of Women in Policing.* Washington, Police Foundation, 1990.

MARTIN, S.E. « Women on the Move? A Report on the Status of Women in Policing », dans *Women and Criminal Justice*, 1989, vol. 1, (1), p. 21-40.

MARTIN, S.E. « Sexual Politics in the Workplace : The Interactional World of Policewomen », dans *Women and Symbolic Interaction*. Allen & Unwin, 1987, chap. 17.

MARTIN, S.E. *Breaking and Entering, Policewomen on Patrol.* Berkeley, University of California Press, 1980.

MARX, J. et K.T. LEICHT. « Formality of Recruitment to 229 Jobs : Variations by Race, Sex and Job Characteristics », dans *Sociology and Social Research*, 1992, vol. 76, (4), p. 190-196.

MATHESON, K., A. ECHENBERG, D.M. TAYLOR, D. RIVERS et I. CHOW. « Women's Attitudes toward Affirmative Action : Putting Actions in Context », dans *Journal of Applied Social Psychology*, 1994, vol. 24, (23), p. 2075-2096.

MATHIEU, N.C. « Identité sexuelle/sexuée/de sexe? », dans *Catégorisation de sexe et constructions scientifiques*, A.M. Daune-Richard, M.-C. Hurtig et M.-F. Pichevin (éd.), Paris, ADAGP, 1989.

McCONVILLE, M. et D. SHEPHERD. *Watching Police, Watching Communities.* New York, Routledge, 1992.

McCREARY, D.R. « The Male Role and Avoiding Feminity », dans *Sex Roles*, 1994, vol. 31, (9-10), p. 517-529.

McCULLOCH et L. SCHETZER. « The Need for Affirmative Action in the Victoria Police Force », dans *The Federation of Community Legal Centres*. Victoria, Polycopié, 1993.

McDANIEL, S.A. « The Changing Canadian Family : Women's Roles and the Impact of Feminism », dans *Changing Patterns*, S. Burt, L. Code et V. L. Dorney (dir.), Toronto, McClelland & Stewart Inc., 1993, chap. 12.

McKENZIE, I. « Equal Opportunities in Policing : a Comparative Examination of Anti-Discrimination Policy and Practice in British Policing », dans *International Journal of Sociology of Law*, 1993, vol. 21, p. 159-174.

McKINNEY, K. et N. MAROULES. « Sexual Harassment », dans *Sexual Cœrcion*, E. Grauerholz et M.A. Koralioski (dir.), Toronto, Lexington Books, 1991, chap.3.

McLEAN, J. « Les effets de la culture policière sur l'identité sociale », dans *Les femmes dans la police au Canada : Les années 2000 et après – les défis*, Actes du séminaire tenu au Collège canadien de police du 20 au 23 mai 1997, M.E. Lebeuf et J. McLean (dir.), Ottawa, Collège canadien de police, 1997a, p. 63-70.

McLEAN, J. « Perspectives d'avenir des femmes dans la police au Canada », Notes finales, dans *Les femmes dans la police au Canada : Les années 2000 et après – les défis*, Actes du séminaire tenu au Collège canadien de police du 20 au 23 mai 1997, M.E. Lebeuf et J. McLean (dir.), Ottawa, Collège canadien de police, 1997b, p. 219-226

McMAHON, M. *Women on Guard Discrimination and Harassment in Corrections*. Toronto, University of Toronto Press, 1999.

McTEER, M. « L'évolution des femmes dans le domaine de la justice », dans *Les femmes dans la police au Canada : Les années 2000 et après – les défis*, Actes du séminaire tenu au Collège canadien de police du 20 au 23 mai 1997, M.E. Lebeuf et J. McLean, (dir.), Ottawa, Collège canadien de police, 1997, p. 1-13.

MEAGHER, M.S. et N.A. YENTES. « Choosing a Career in Policing : A Comparison of Male and Female Perceptions », dans *Journal of Police Science and Administration*, 1986, vol. 14, (4), p. 320-327.

MEEHAN, A.J. « "I Don't Prevent Crime, I Prevent Calls" : Policing as a Negotiated Order », dans *Symbolic Interaction*, 1992, vol. 15, (4), p. 455-480.

MEISSNER, M. « The Domestic Economy – Half of Canada's Work : Now You See It, Now You Don't », dans *Sociological Insights, Readings from UBC*, N. Guppy et D. Stoddard (dir.), Vancouver, Département d'anthropologie et de sociologie de l'Université de Colombie Britannique, 1991, chap. 11.

MELOCHE, S. « L'intégration des policières au SPCUM : innover pour grandir ensemble », *Actes du colloque sur la femme policière, S'unir pour grandir ensemble*. Nicolet, Institut de police du Québec, 1999, p. 57-63.

MEZEY, S.G. *In Pursuit of Equality, Women, Public Policy and the Federal Courts*. New York, St. Martin's Press, 1992.

MILLER-LŒSSI, K. « Toward Gender Integration in the Workplace : Issues at Multiple Levels », dans *Sociological Perspectives*, 1992, vol. 35, (10), p. 1-15.

MILLS, A.J. et P. TANCRED (dir.), *Gendering Organizational Analysis*. Londres, Sage Publications, 1992.

MILTON, C. *Women in Policing : A Manual.* Washington, The Police Foundation, 1974.

MINISTÈRE DU SOLLICITEUR GÉNÉRAL. *Rapport final, Sondage sur l'égalité hommes-femmes.* Ottawa, Solliciteur général du Canada, 1992.

MINISTRY (the) OF JUSTICE, THE MINISTRY OF THE SOLICITOR GENERAL, THE ROYAL CANADIAN MOUNTED POLICE et THE CANADIAN POLICE COLLEGE (dir.), *Proceedings of the International Crime Prevention Conference.* Ottawa, du 16 au 19 octobre 1993.

MINSON, J.P. « Social Theory and Legal Argument : Catharine MacKinnon on Sexual Harassment », dans *International Journal of the Sociology of Law*, 1991, vol. 19, p. 355-378.

MOEN, P. *Women's Two Roles : A Contemporary Dilemma.* New York, Auburn House, 1992.

MOEN, P. *Working Parents : Transformation in Gender Roles and Public Policies in Sweden.* Madison, University of Wisconsin Press, 1989.

MOEN, P. et K.B. FOREST. « Working Parents, Workplace Supports, and Well-Being : The Swedish Experience », dans *Social Psychology Quarterly*, 1990, vol. 53, (2), p. 117-131.

MONJARDET, D. « La culture professionnelle des policiers », dans *Revue française de sociologie*, 1994, vol. XXXV, p. 393-411.

MONK-TURNER, E. « Sex Differentials in Unemployment Rates in Male-Dominated Occupations and Industries during Periods of Economic Downturn », dans *Gender Differences*, M.L. Kendrigan (éd.), New York, Greenwood Press, 1991, chap. 5.

MOORE, H. « Un projet d'histoire des femmes dans la police au Canada », dans *Les femmes dans la police au Canada : Les années 2000 et après – les défis*, Actes du séminaire tenu au Collège canadien de police du 20 au 23 mai 1997, M.E. Lebeuf et J. McLean (dir.), Ottawa, Collège canadien de police, 1997, p. 42-53.

MORASH, M. et J.R. GREENE. « Evaluating Women on Patrol : A Critique of Contemporary Wisdom », dans *Evaluation Review*, 1986, vol. 10, (2), p. 230-255.

MORGAN, D.H.J. « Theater of War. Combat, the Military, and Masculinities », dans *Theorizing Masculinities*, H. Brod et M. Kaufman (dir.), Londres, Sage Publications, 1994, chap. 9.

MORGAN, D.H.J. « You Too can Have a Body Like Mine : Reflections on the Male Body and Masculinities », dans *Body Matters*, S. Scott et D. Morgan (dir.), Washington, D.C., The Falmer Press, 1993, chap. 5.

MORGAN, D.H.J. *Discovering Men.* New York, Routledge, 1992, chap. 6.

MOUHANNA, C. « Négocier ou sanctionner : le travail policier au quotidien », dans *Traité de sécurité intérieure*. Montréal, Éditions Hurtubise, 2007, 140-151.

MOYER, I.L. (éd.). *The Changing Roles of Women in the Criminal Justice Systems : Offenders, Victims, and Professionals.* Waveland Press, 1985.

MUGNY, G. et J.A. PEREZ. *The Social Psychology of Minority Influence*. Cambridge, Cambridge University Press, 1991.

MUIR, J. et D. LeCLAIRE. *Mesures prises par la police dans le cadre d'agressions familiales*. Ottawa, Solliciteur général du Canada, 1984.

MURPHY, C. *Évaluation du rendement de la police : les questions, les problèmes et les solutions de rechange*. Ottawa, Solliciteur général du Canada, 1985.

MURPHY, C. et G. MUIR. *Les services de police communautaires : un examen de la question*. Ottawa, Solliciteur général du Canada, 1985.

MURRELL, A.J., I.H. FRIEZE et J.L. FROST. « Aspiring to Careers in Male-and Female-Dominated Professions. A Study of Black and White College Women », dans *Psychology of Women Quarterly*, 1991, vol. 15, p. 103-126.

NAISBITT, J. et P. ABURDENE. *Méga-tendances, 1990-2000. Ce qui va changer*. Paris, First, 1990, 2ᵉ édition, chap. 7.

NEGREY, C. *Gender, Time, and Reduced Work*. Albany, State University of New York Press, 1993.

NEIDIG, P.H., H.E. RUSSELL et A.F. SENG. « Interspousal Aggression in Law Enforcement Families : A Preliminary Investigation », dans *Police Studies*, 1992, vol. 15, (1), p. 30-38.

NEIL, C.C. et W.E. SNIZEK. « Work Values, Job Characteristics and Gender », dans *Sociological Perspectives*, 1987, vol. 30, (3), p. 245-265.

NELSON, E.D.A. « "L'équité en matière d'emploi" et l'hypothèse de la Dame de cœur : le recrutement et l'embauchage dans les services de police municipaux de l'Ouest canadien », dans *Journal du Collège canadien de police*, 1992, vol. 16, (3), p. 189-211.

NELSON, D.L., J.C. QUICK, M.A. HITT et D. MŒSEL. « Politics, Lack of Career Progress, and Work-Home Conflict : Stress and Strain for Working Women », dans *Sex Roles*, 1990, vol. 23, (3-4), p. 169-185.

NEUGEBAUER, R. « Misogyny, Law and the Police : Policing Violence Against Women », dans *Understanding Policing*, K.R.E McCormick et L.A. Visano (dir.), Toronto, Canadian Scholars Press, 1982, chap. 27.

NOCK, S.L. et P.W. KINGSTON. *The Sociology of Public Issues*. Wadsworth, 1990, chap. 8.

NORMANDEAU, A. (dir.). *Une police professionnelle de type communautaire*. Montréal, Éditions du Méridien, 1998, 2 tomes.

NORMANDEAU, A. « La police et les minorités ethniques à Montréal : le rapport Bellemare », dans *Justice et communautés culturelles?* A. Normandeau et E. Douyon (dir.), Montréal, Éditions du Méridien, 1995, p. 165-193.

NORMANDEAU, A. et B. LEIGHTON. « Some Important Challenges », dans *Understanding Policing*, K.R.E. McCormick et L.A. Visano (dir.), Toronto, Canadian Scholars Press, 1992, chap. 28.

NORVELL, N.K., H.A. HILLS et M.R. MURRIN. « Understanding Stress in Female and Male Law Enforcement Officers », dans *Psychology of Women Quarterly*, 1993, vol. 17, p. 289-301.

O'BIRECK, G. « A Canadian Metropolitan Police Force : An Exploratory Case Study Into Application, Training and Advancement Procedures – Subcultural Perspectives », dans *Understanding Policing*, K.R.E. McCormick et L.A. Visano (dir.), Toronto, Canadian Scholars Press, 1992, chap. 16.

OLIGNY, M. *Stress et burnout en milieu policier.* Québec, PUQ, 1990.

ONTARIO, MINISTRY OF THE SOLICITOR GENERAL. *Report on the Study of Female Police Officers, Ontario Regional and Municipal Police Forces.* Ontario, Ministry of the Solicitor General, 1986.

OSTIGUY, L. « Introduction » aux *Actes du colloque sur la femme policière, S'unir pour grandir ensemble.* Nicolet, Institut de police du Québec, 1999, p. 9-10.

OSTIGUY, L. « Au-delà des obstacles et des contraintes », dans *Les femmes dans la police au Canada : Les années 2000 et après – les défis*, Actes du séminaire tenu au Collège canadien de police du 20 au 23 mai 1997, M.E. Lebeuf et J. McLean (dir.), Ottawa, Collège canadien de police, 1997, p. 137-141.

OTT, E.-M. « Effects of the Male-Female Ratio at Work : Policewomen and Male Nurses », dans *Psychology of Women Quarterly*, 1989, vol. 13, (1), p. 41-57.

OWINGS, C. *Women Police.* New Jersey, Patterson Smith, 1969, © l925.

PADAVIC, I. et B.F. RESKIN. « Men's Behavior and Women's Interest in Blue-Collar Jobs », dans *Social Problems*, 1990, vol. 37, (4), p. 613-628.

PADAVIC, I. « The Re-Creation of Gender in a Male Workplace », dans *Symbolic Interaction*, 1991, vol. 14, (3), p. 279-294.

PAHL, J. *Money and Marriage.* Melbourne, Macmillan, 1989.

PALOMBO, B.J. « Affirmative Action and the Law », dans *Diversity, Affirmative Action and Law Enforcement*, G.T. Felkenes et P.C. Unsinger (dir.), Charles C. Thomas Publisher, 1992a, p. 38-56.

PALOMBO, B.J. « Attitudes, Training, Performance and Retention of Female and Minority Police Officers » dans *Diversity, Affirmative Action and Law Enforcement*, G.T. Felkenes et P.C. Unsinger (dir.), Charles C. Thomas Publisher, 1992b, p. 57-90.

PARENT, A. *Policiers : Danger ou en danger ?* Montréal, Éditions du Méridien, 1993.

PARENT, A. « Les médias : source de victimisation », dans *Criminologie*, 1990, vol. XXIII, (2), p. 47-71.

PARENT, A. « Presse et corps policiers : complicité et conflit », dans *Criminologie*, 1987, vol. XX, (1), p. 99-120.

PARRY, G. « Sex-Role Beliefs, Work Attitudes and Mental Health in Employed and non-Employed Mothers », dans *British Journal of Social Psychology*, 1987, vol. 26, p. 47-58.

PATE, A.M. et P. SHTULL. « Community Policing Grows in Brooklyn : an Inside View of the New York City Police Department's Model Precinct », dans *Crime & Delinquency*, 1994, vol. 40, (3), p. 384-410.

PATTERSON, M. et L. ENGELBERG. « Women in a Male-Dominated Profession : The Women Lawyers », dans *The Criminal Justice System and Women*, B.R. Price et N.J. Sokoloff (dir.), New York, Clard Boardman Company, 1982, p. 385-397.

·PAYNE, G. et P. ABBOTT (dir.), *The Social Mobility of Women : Beyond Male Mobility Models*. Londres, The Falmer Press, 1990.

PEAK, K.J. *Policing America*. New Jersey, Prentice Hall, 1993.

PELLETIER, C. *L'apprentissage de la diversité*. Montréal, Les éditions du CIDIHCA, 1990.

PEREZ, D.W. *Common Sense about Police*. Review. Philadelphia, Temple University Press, 1994.

PHILIPPE, O. « Le film policier, un observatoire de la fonction policière », dans *Homo*, 1992, vol. 31, p. 21-41.

PHILIPS, B.S. « Nicknames and Sex Role Stereotypes », dans *Sex Roles*, 1990, vol. 23, (5-6), p. 281-289.

PLECK, J.H. « Are "Family-Supportive" Employer Policies Relevant to Men ? », dans *Men, Work and Family*, J.C. Hood (éd.), Londres, Sage Publications, 1993, chap. 11.

POFF, D.C. « Feminism and Canadian Justice : How Far Have We Come ? », dans *The Journal of Human Justice*, 1990, vol. 2, (1), p. 93-104.

POPOVICH, P.M., D.A.N. GEHLAUF, J.A. JOLTON, J.M. SOMERS et R.M. GODINHO. « Perceptions of Sexual Harassment as a Function of Sex of Rater and Incident Form and Consequence », dans *Sex Roles*, 1992, vol. 27, (11-12), p. 609-625.

PRATTO, F. et J.A. BARGH. « Stereotyping Based on Apparently Individuating Information : Trait and Global Components of Sex Stereotypes under Attention Overload », dans *Journal of Experimental Social Psychology*, 1991, vol. 27, p. 26-47.

PRÉJEAN, M. *Sexes et pouvoir*. Montréal, PUM, 1994, chap. III.

PRESSER, H.B. « Employment Schedules among Dual-Earner Spouses and the Division of Household Labor by Gender », dans *American Sociological Review*, 1994, vol. 59, p. 348-364.

PRÉVOST, L. *Étude exploratoire sur l'utilisation des connaissances chez les policiers novices et experts*. Mémoire présenté à la Faculté d'éducation en vue de l'obtention du grade de maîtrise en éducation, Université de Sherbrooke, 1992.

PRÉVOST, L. *Interventions policières*. Québec, Modulo éditeur, 1989.

PRICE, B. *Police, professionalism, rhetoric and action*. Toronto/Massachusetts, Lexington Books, 1977.

PRICE, B.R. et S. GAVIN. « A Century of Women in Policing », dans *The Criminal Justice System and Women*, B.R. Price et N.J. Sokoloff (dir.), New York, Clark Boardman, 1982, chap. 22.

PRUD'HOMME, Y. « Police-défi 2000 : La tentation de l'amateurisme », dans *Revue canadienne de criminologie*, 1991, p. 537-541.

PRUVOST, G. *De la « sergote » à la femme flic, une autre histoire de l'institution policière* (1935-2005). Paris, Éditions de la Découverte, 2008.

PRUVOST, G. *Profession : policier, Sexe : féminin*. Paris, Éditions de la Maison des sciences de l'homme, 2007.

RAFTER, N.H. et E.A. STANKO (dir.), *Judge, Lawyer, Victim, Thief : Women, Gender Roles, and Criminal Justice*. Boston, Norheastern University Press, 1982.

R.C.M.P. Reference Staff. *Policewomen, a bibliography*. Ottawa, R.C.M.P. Library, 1979.

REINER, R. « The Dialectics of Dixon : The Changing Image of the TV Cops », dans *Police Force, Police Service. Care and Control in Britain*. Londres, Macmillan Press, 1994, chap. 1.

REINER, R. *The Politics of the Police*. Toronto, University of Toronto Press, 1992, 2ᵉ édition.

RESKIN, B.F. et C.E. ROSS. « Jobs, Authority, and Earnings Among Managers : The Continuing Significance of Sex », dans *Gender Inequality at Work*. Londres/New Delhi, Sage Publications, 1995, p. 127-151.

RESSOURCES HUMAINES ET DÉVELOPPEMENT SOCIAL Canada. *Qu'est-ce que l'équité en matière d'emploi?* [www.rhdsc.gc.ca], 2003.

RIGER, S. « Gender Dilemmas in Sexual Harassment : Policies and Procedures », dans *American Women in the Nineties*, Sherri Matteo (éd.), Boston, Northeastern University Press, 1993, p. 213-235.

ROBERG, R.R. et J. KUYKENDALL. *Police & Society*. Wadsworth Publishing Co., 1993, chap. 12.

ROBINSON, J. G. et J.S. McILWEE. « Men, Women, and the Culture of Engineering », dans *The Sociological Quarterly*, 1991, vol. 32, (3), p. 403-421.

ROCHETTE, M. *Les femmes dans la profession juridique au Québec : de l'accès à l'intégration, un passage coûteux*. Québec, Les Cahiers de recherche du GREMF, nº 40, 1990.

ROSEN, B.C. *Women, Work and Achievement: The Endless Revolution*. New York, St. Martin's Press, 1989.

ROSENBERG, J., H. PERLSTADT et W.R.F. PHILLIPS. « Now That We Are Here : Discrimination, Disparagement, and Harassment at Work and the Experience of Women Lawyers », dans *Gender & Society*, 1993, vol. 7, (3), p. 415-433.

ROSSMO, D.K. et G.J. SAVILLE. « Policing Challenge 2000 : Riding the Winds of Change », dans *Revue canadienne de criminologie*, 1991, p. 543-549.

ROTUNDO, E. A. *American Manhood : Transformations in Masculinity from the Revolution to the Modern Era*. New York, Basic, 1993.

RUSSO, N.F., R.M. KELLY et M. DEACON. « Gender and Success-Related Attributions : Beyond Individualistic Conceptions of Achievement », dans *Sex Roles*, 1991, vol. 25, (5-6), p. 331-350.

SAGATUN, I.J. « Gender Discrimination in Criminal Justice : Relevant Law and Future Trends », *Women & Criminal Justice*, 1990, vol. 2, (1), p. 63-81.

SAMUEL, T.J. et S.K. SURIYA. « A Demographically Reflective Workforce for Canadian Policing », dans *Community Policing in Canada*, J. Chacko et S.E. Nancoo (dir.), Toronto, Canadian Scholars Press, 1993, chap. 15.

SAUNDERS, G. « Le Réseau européen pour les femmes dans la police », dans *La Gazette de la GRC*, 1994, vol. 56, (9), p. 12-13.

SAVAGE, M. et A. WITZ (dir.), *Gender and Bureaucracy*. Oxford, Basil Blackwell, 1992.

SCHNOCK, B. « Harcèlement sexuel des femmes au travail : préjugés et réalités. Une étude allemande de la réalité sociale des femmes au travail », dans *Déviance et société*, 1993, vol. 17, (3), p. 261-275.

SCHULZ, D.M. *From Social Worker to Crimefighter, Women in United States Municipal Policing*. Londres, Praeger, 1995.

SCHULZ, D.M. « From Policewoman to Police Officer : An Unfinished Revolution », dans *Police Studies*, 1993a, vol. 16, (3), p. 90-98.

SCHULZ, D.M. « Policewomen in the 1950s : Paving the Way for Patrol », dans *Women & Criminal Justice*, 1993b, vol. 4, (2), p. 5-30.

SCRIVNER, E. « Police Brutality », dans *Violence and the Law*, M. Costanzo, S. Oskamp (dir.), Londres, Sage publications, 1994, chap. 8.

SEAGRAVE, J. *Introduction to Policing in Canada*. Ontario, Prentice Hall Canada, 1997.

SEAGRAVE, K. *Police Women, A History*. North Carolina, McFarland & Company Publishers, 1995.

SECCOMBE, W. *Weathering the Storm : Working-Class Families from the Industrial Revolution to the Fertility Decline*. Londres, Verso, 1993.

SECRÉTARIAT À LA CONDITION FÉMININE. *Factuelle*. Gouvernement du Québec, Ministère du Conseil exécutif, 1994, vol. 1, (2).

SEN, S. « Gender Bias in Law Enforcement », dans *The Police Journal*, 1993, p. 310-315.

SEWELL, J. *Police, Urban Policing in Canada*. Toronto, James Lorimer & Cie Publishers, 1985.

SHEARING, C.D. « Subterranean Processes in the Maintenance of Power : An Examination of the Mechanisms Coordinating Police Action », dans *Understanding Policing*, K.R.E. McCormick et L.A. Visano (dir.), Toronto, Canadian Scholars Press, 1992, chap. 15.

SHEARING, C.D. 1981. « Deviance and Conformity in the Reproduction of Order », dans *Organizational Police Deviance*. Toronto, Butterworths, 1981, chap. 2.

SHEFFEY, S. et R.C. TINDALE. « Perceptions of Sexual Harassment in the Workplace », dans *Journal of Applied Social Psychology*, 1992, vol. 22, (19), p. 1502-1520.

SHELTON, B.A. *Women, Men and Time : Gender Differences in Paid Work, Housework and Leisure*. Greenwood Press, 1992.

SHILLING, C. *The Body and Social Theory*. Londres, Sage Publications, 1993, chap. 5.

SIMARD, C. « Identité sociale, femmes et culture policière », dans *Les femmes dans la police au Canada : Les années 2000 et après – les défis*, Actes du séminaire tenu au Collège canadien de police du 20 au 23 mai 1997, M.E. Lebeuf et J. McLean (dir.), Ottawa, Collège canadien de police, 1997, p. 55-61.

SIMMONS, C.G. « Le rôle de l'État dans les relations de travail des policiers », dans *Conflits et collaboration dans les relations de travail des policiers*, Hull, Journal du Collège canadien de police, 1978, chap. 6.

SIMS, D., S. FINEMAN et Y. GABRIEL. *Organizing & Organizations*. Londres, Sage Publications, 1993, chap. 12.

SINGER, M.S. et K. LOVE. « Gender Differences in Self Perception of Occupational Efficacy : a Study of Law Enforcement Officers », dans *Journal of Social Behavior and Personality*, 1988, vol. 3, (1), p. 63-74.

SKOGAN, W.G. « Policing Disorder », dans *Disorder and Decline*. Toronto, Macmillan Canada, 1990, chap. 5.

SKOLNICK, J.H. « Democratic Order and the Rule of Law », dans *Understanding Policing*, R.R.E. McCormick et L.A. Visano (dir.), Toronto, Canadian Scholars Press, 1992, chap. 2.

SMEETS, S. et C. STREBELLE. *La police de proximité en Belgique. Vers un nouveau modèle de gestion de l'ordre ?* Bruxelles, Bruylant, 2000.

SMITH, G.L. et S. DeWINE. « Perceptions of Subordinates and Requests for Support. Are Males and Females Perceived Differently when Seeking Help ? », *Group & Organization Studies*, 1991, vol. 16, (4), p. 408-427.

SMITH, H. et I. McALLISTER. « The Changing Military Profession : Integrating Women in the Australian Defence Force », dans *ANJZ*, 1991, vol. 27, (3), p. 370-391.

SNORTUM, J.R. et J.C. BEYERS. « Patrol Activities of Male and Female Officers as a Function of Work Experience », dans *Police Studies*, 1983, vol. 6, (1), p. 36-42.

SOLLICITEUR GÉNÉRAL DU CANADA. *Une vision de l'avenir de la police au Canada : Police-Défi 2000*. Ottawa, Solliciteur général du Canada, 1990.

SORENSEN, J.R., J.W. MARQUART et D.E. BROCK. « Factors Related to Killings of Felons by Police Officers : A Test of the Community Violence and Conflict Hypotheses », dans *Justice Quarterly*, 1993, vol. 10, (3), p. 417-440.

SPAIN, D. *Gendered Spaces*. University of North Carolina Press, 1992.

SPARKS, R. « Dramatic Power : Television, Images of Crime and Law Enforcement », dans *Censure, Politics and Criminal Justice*, C. Sumner (éd.), Philadelphia, Open University Press, 1990, chap. 6.

STANSFIELD, R.T. *Issues in Policing, A Canadian Perspective*. Toronto, Thompson Educational Publishing, 1996.

STARRELS, M.E. « Husbands' Involvement in Female Gender-Typed Household Chores », dans *Sex Roles*, 1994, vol. 31, (7-8), p. 473-479.

STATISTIQUE CANADA. « Services de sécurité privés et services de police publics », dans *Perspective*, n° 75-001-XPF au catalogue, 1999.

STEPHENS, M. et S. BECKER (dir.), *Police Force, Police Service. Care and Control in Britain*. Londres, Macmillan Press, 1994.

STEPHENS, M. *Policing : The Critical Issues*. Londres, Harvester Wheatsheaf, 1988.

STEWART, L. *Women Volunteer to Go to Prison*. Victoria, BC, Orca Book Publishers, 1993.

STICHTER, S. et J.L. PARPART. *Women, Employment and the Family in the International Division of Labor*. Philadelphie, Temple University Press, 1990.

STRAVER, M.A. « L'écart entre la doctrine et la réalité – Comment y remédier ? », dans *Déviance et Société*, 1979, vol. 3, (4), p. 345-354.

SUGIMAN, P. « "That Wall's Comin' Down" : Gendered Strategies of Worker Resistance in the UAW Canadian Region (1963-1970) », dans *Cahiers canadiens de sociologie*, 1992, vol. 17, (1), p. 1-26.

SULLEROT, E. *La politique familiale en Suède*. [www.uniondesfamilles.org], 2001.

SUMMERS, R.J. « Determinants of Judgments and Responses to a Complaint of Sexual Harassment », dans *Sex Roles*, 1991, vol. 25, (7-8), p. 379-392.

SUMMERS, R.J. et K. MYKLEBUST. « The influence of a History of Romance on Judgments and Responses to a Complaint of Sexual Harassment », dans *Sex Roles*, 1992, vol. 27, (7-8), p. 345-357.

SUNAHARA, D.F. « Enquêtes publiques sur les méthodes policières », dans *Journal du Collège canadien de police*, 1992, vol. 16, (2), p. 139-159.

SURIYA, S.K. « The Representation of Visible Minorities in Canadian Police : Employment Equity Beyond Rhetoric », dans *Police Studies*, 1993, vol. 16, (2), p. 44-62.

SWITUCHA, T. *The Value of Higher Education for Police Officers : A Literature Review*, Prepared for the Strategic Planning Committee on Police Training and Education in Ontario. Polycopié, 1992.

SYKES, R.E. et J.P. CLARK. « A Theory of Deference Exchange in Police-Civilian Encounters », dans *Understanding Policing*, K.R.E. McCormic, et L.A. Visano (dir.), Toronto, Canadian Scholars Press, 1992, chap. 13.

TATA, J. « The Structure and Phenomenon of Sexual Harassment : Impact of Category of Sexually Harassing Behavior, Gender, and Hierarchical Level », dans *Journal of Applied Social Psychology*, 1993, vol. 23, (3), p. 199-211.

TEPPER, B.J., S.J. BROWN et M.D. HUNT. « Strength of Subordinates' Upward Influence Tactics and Gender Congruency Effects », dans *Journal of Applied Social Psychology*, 1993, vol. 23, (22), p. 1903-1919.

THOENIG, J.-C. « La gestion systémique de la sécurité publique », dans *Revue française de sociologie*, 1994, vol. XXXV, p. 357-392.

THURMAN, Q.C., A. GIACOMAZZI et P. BOGEN. « Cops, Kids, and Community Policing – An Assessment of a Community Policing Demonstration Project », dans *Crime & Delinquency*, 1993, vol. 39, (4), p. 554-564.

TIJDENS, K., A. Van DOORNE-HUISKES et T. WILLEMSEN (dir.), *Time Allocation and Gender, The Relationship Between Paid Labour and Household Work*. Amsterdam, Tilburg University Press, 1997.

T.L.S. CREATIVE ENTERPRISES. *It Goes with the Territory, A Proactive Response to Sexual-Gender Harassment in Correctional Service of Canada*. Prairie Region, Correctional Service of Canada, 1993.

TOMASKOVIC-DEVEY, D. *Gender and Racial Inequality at Work : The Sources and Consequences of Job Segregation*. New York, ILR Press, 1993.

TOWNSEY, R.D. « Female Patrol Officers : A Review of the Physical Capability Issue », dans *The Criminal Justice System and Women*, B.R. Price et N.J. Sokoloff (dir.), New York, Clark Boardman Company, 1982, p. 413-425.

TRAVAIL NON TRADITIONNEL INC. (TNT). *Rapport sur l'intégration des policières du SPCUM*, polycopié, 1988.

TREMBLAY, D.-G. « Femmes et emploi : nouveaux enjeux et défis pour concilier l'emploi et la famille », *Actes du colloque sur la femme policière, S'unir pour grandir ensemble*. Nicolet, Institut de police du Québec, 1999, p. 22-37.

TREMBLAY, J.-N. *Le métier de policier et le* management. Thèse de doctorat, HEC, CETAI, Montréal, 1995.

TROJANOWICZ, R. « Les patrouilles à pied de quartier à Flint (Michigan) », dans *La police et la collectivité dans les années 80 : progrès récents au niveau des programmes*, Ottawa, Solliciteur général du Canada, 1987, p. 103-116.

TROJANOWICZ, R. et B. BUCQUEROUX. *Community Policing : A Contemporary Perspective*. Cincinnati, Anderson Publishing, 1990.

TROSTLE, L.C. « Recruitment, Hiring, and Promotion of Women and Racial Minorities in Law Enforcement », dans *Diversity, Affirmative Action and Law Enforcement*, G.T. Felkenes et P.C. Unsinger (dir.), Charles C. Thomas Publisher, 1992, p. 91-114.

TURNER, M.E. et A.R. PRATKANIS. « Affirmative Action : Insights from Social Psychological and Organizational Research », dans *Basic and Applied Social Psychology*, 1994, vol. 15, (1-2), p. 1-11.

UNGER, R. et M. CRAWFORD. *Women and Gender*. Philadelphia, Temple University Press, 1992, chap. 12.

Van MAANEN. « Drinking Our Troubles Away. Managing Conflict in a British Police Agency », dans *Hidden Conflict in Organizations*, D.M. Kolb et J.M. Bartunek (dir.), Londres, Sage Publications, 1992, p. 32-62.

Van NOSTRAND, *Gender-Responsible Leadership*. New York, Sage Publications, 1993, chap. 4.

Van WORMER, K.S. « Are Males Suited to Police Patrol Work ? », dans *Police Studies*, 1981, vol. 3, (4), p. 41-44.

VIANELLO, M. et R. SIEMIENSKA. *Gender Inequality : A Comparative Study of Discrimination and Participation*. Sage Publications, 1990.

VOGEL, L. « Debating Difference : Feminism, Pregnancy, and the Workplace », dans *Feminist Studies*, 1990, vol. 16, (1), p. 9-32.

VRIJ, A. et F.W. WINKEL. « Crosscultural Police-Citizen Interactions : The Influence of Race, Beliefs, and Nonverbal Communication on Impression Formation », dans *Journal of Applied Social Psychology*, 1992, vol. 22, (19), p. 1546-1559.

WAJCMAN, J. *Managing Like a Man, Women and Men in Corporate Management*. The Pennsylvania State University Press, 1998.

WALKER, S. *The Police in America*. McGraw-Hill, 1992, 2ᵉ édition.

WALKER, S.G. *La situation des femmes dans la police au Canada : 1993*. Ottawa, Solliciteur général du Canada, 1993.

WATSON, E.M., A.R. STONE, S.M. DeLUCA. *Strategies for Community Policing*. Toronto, Prentice Hall Canada, 1998.

WEISBURD, D. et C. UCHIDA (dir.), *Police Innovation and Control of the Police. Problems of Law, Order, and Community*. New York, Springer-Verlag, 1993.

WESTON, K. « Production as Means, Production as Metaphor : Women's Struggle to Enter the Trades », dans *Uncertain Terms*, F. Ginsburg et A. L. Tsing (dir.), Boston, Beacon Press, 1990.

WEXLER, J.G. « Role Styles of Women Police Officers », dans *Sex Roles*, 1985, vol. 12, (7-8), p. 749-755.

WHITE, L. et B. KEITH. « The Effect of Shift Work on the Quality and Stability of Marital Relations », dans *Journal of Marriage and the Family*, 1990, vol. 52, p. 453-462.

WIDERBERG, K. « Reforms for Women – On Male Terms – The Example of the Swedish Legislation on Parental Leave », dans *International Journal of the Sociology of Law*, 1991, vol. 19, p. 27-44.

WILLIAMS, C.L. *Gender Differences at Work : Women and Men in Nontraditional Occupations*. Berkeley, University of California Press, 1989.

WILSON, S.J. *Women, Families and Work*. Toronto, Mac Graw-Hill Ryerson, 1991, 3ᵉ édition.

WINSOR, D.I. « Women in Traditionally Male Occupations : An Exploratory Model of Gender-Work Assimilation », dans *Sociological Inquiry*, 1988, vol. 58, (4), p. 426439.

WITZ, A. *Professions and Patriarchy*. Londres, Routledge, 1992.

WITZ, A. « Patriarchy and Professions : The Gendered Politics of Occupational Closure », dans *Sociology*, 1990, vol. 24, (4), p. 675-690.

WOLINSKY, M. et K. SHERRILL. *Gays and the Military : Joseph Steffan versus the United States*. Princeton, Princeton University Press, 1993.

WOOD, J.T. *Gendered Lives*. California, Wadsworth Publishing, 1994.

WOODS, J.D. et J.H. LUCAS. *The Corporate Closet : The Professional Lives of Gay Men in America*. New York, Free Press, 1993.

WORDEN, A.P. « The Attitudes of Women and Men in Policing : Testing Conventional and Contemporary Wisdom », dans *Criminology*, 1993, vol. 31, (2), p. 203-241.

WORDEN, R.E. « A Badge and a Baccalaureate : Policies, Hypotheses, and Further Evidence », dans *Justice Quarterly*, 1990, vol. 7, (3), p. 565-592.

YODER, J.D. « Looking Beyond Numbers : The Effects of Gender Status, Job Prestige, and Occupational Gender-Typing on Tokenism Processes », dans *Social Psychology Quarterly*, 1994, vol. 57, (2), p. 150-159.

YODER, J.D. « Rethinking Tokenism : Looking Beyond Numbers », dans *Gender & Society*, 1991, vol. 5, (2), p. 178-192.

YOUNG, G. « La police au Canada : quelques statistiques utiles », dans *Une police professionnelle de type communautaire*, tome I, A. Normandeau (dir.), Montréal, Éditions du Méridien, 1998, p. 41-80.

YOUNG, M. *An Inside Job : Policing and Police Culture in Britain*. Oxford, Oxford University Press, 1991, chap. 4.

ZANIN, B. « Parole aux membres féminins », dans *Pony Express*, octobre 1999a, p. 20-21.

ZANIN, B. « Les conséquences de l'égalité d'accès », dans *Pony Express*, octobre 1999b, p. 22-23.

ZEDNER, L. *Women, Crime, and Custody in Victorian England*. Oxford, Clarendon Press, 1991.

ZIMMER, L.E. « Solving Women's Employment Problems in Corrections : Shifting the Burden to Administrators », dans *Women & Criminal Justice*, 1989, vol. 1, (1), p. 55-79.

ZIMMER, L.E. *Women Guarding Men*. Chicago, University of Chicago Press, 1986.

Annexes

Annexe I

ASSOCIATIONS DE POLICIÈRES AVEC SITE INTERNET ACCESSIBLE AUX NON-MEMBRES

International Association of Women Police

Women in Federal Law Enforcement

Chicago Police Women's Association

North Carolina Law Enforcement Women's Association

Wisconsin Association of Women Police

Mid-Atlantic Association of Women in Law Enforcement

National Center for Women & Policing

Australasian Council of Women and Policing Inc.

National Association of Women Law Enforcement Executives

Association for Belgian Policewomen

Women Police Officer's Association of California

European Network of Policewomen

Texas Women in Law Enforcement

Women in the Trades, Technology and Science

PoliceWomen.org. England

British Association of Women Police

Source : International Association of Women Police [http ://www.iawp.org].

Note : Il existe également plusieurs autres sites, principalement locaux, accessibles uniquement aux policières de ces services policiers.

Annexe II A

POLICIERS SELON LE SEXE, CANADA, CERTAINES ANNÉES

	HOMMES		FEMMES		TOTAL
	NOMBRE	POURCENTAGE	NOMBRE	POURCENTAGE	NOMBRE
1988	50 604	94,9	2 708	5,1	53 312
1993	52 340	92,0	4 561	8,0	56 901
1998	48 076	87,8	6 687	12,2	54 763
2003	50 060	84,3	9 352	15,7	59 412
2008	53 076	81,3	12 207	18,7	65 283

Source(s) : Statistique Canada, Centre canadien de la statistique juridique, Enquête sur l'administration policière.
Décembre 2008, n° 85-225-X au catalogue

Annexe II B

POLICIERS SELON LE SEXE, PROVINCES ET TERRITOIRES, 2008

	HOMMES		FEMMES		TOTAL
	NOMBRE	POURCENTAGE	NOMBRE	POURCENTAGE	NOMBRE
Terre-Neuve-et-Labrador	727	82,2	157	17,8	884
Île-du-Prince-Édouard	202	87,4	29	12,6	231
Nouvelle-Écosse	1 587	85,1	277	14,9	1 864
Nouveau-Brunswick	1 148	84,7	207	15,3	1 355
Québec	12 050	78,2	3 353	21,8	15 403
Ontario	20 571	82,5	4 374	17,5	24 945
Manitoba	2 060	85,2	359	14,8	2 419
Saskatchewan	1 749	82,3	375	17,7	2 124
Alberta	4 791	83,6	943	16,4	5 734
Colombie-Britannique	6 405	78,7	1 729	21,3	8 134
Yukon	101	86,3	16	13,7	117
Territoires du Nord-Ouest	146	82,0	32	18,0	178
Nunavut	107	89,9	12	10,1	119
Direction générale et Division Dépôt de la Gendarmerie Royale du Canada	1 432	80,6	344	19,4	1 776
Canada	**53 076**	**81,3**	**12 207**	**18,7**	**65 283**

Source(s) : Statistique Canada, Centre canadien de la statistique juridique, Enquête sur l'administration policière.
Décembre 2008, n° 85-225-X au catalogue

Annexe III

RÉPARTITION DES POLICIERS SELON LE GRADE ET LE SEXE, CANADA, DE 1986 À 2008

	OFFICIERS SUPÉRIEURS		SOUS-OFFICIERS		AGENTS	
	HOMMES	FEMMES	HOMMES	FEMMES	HOMMES	FEMMES
			POURCENTAGE			
1986	99,8	0,2	99,5	0,5	94,6	5,4
1987	99,8	0,2	99,4	0,6	93,9	6,1
1988	99,8	0,2	99,2	0,8	93,0	7,0
1989	99,7	0,3	98,9	1,1	92,1	7,9
1990	99,6	0,4	98,7	1,3	91,4	8,6
1991	99,6	0,4	98,6	1,4	90,5	9,5
1992	99,3	0,7	98,4	1,6	89,8	10,2
1993	98,8	1,2	98,2	1,8	89,2	10,8
1994	98,7	1,3	97,8	2,2	88,0	12,0
1995	98,4	1,6	97,3	2,7	87,2	12,8
1996	98,3	1,7	97,0	3,0	86,5	13,5
1997	97,9	2,1	96,6	3,4	85,7	14,3
1998	97,8	2,2	96,1	3,9	84,5	15,5
1999	97,2	2,8	95,3	4,7	83,8	16,2
2000	96,9	3,1	94,5	5,5	83,0	17,0
2001	96,5	3,5	93,7	6,3	82,2	17,8
2002	96,0	4,0	92,9	7,1	81,4	18,6
2003	95,3	4,7	92,3	7,7	80,9	19,1
2004	94,8	5,2	91,1	8,9	80,2	19,8
2005	94,5	5,5	90,3	9,7	79,3	20,7
2006	93,9	6,1	89,2	10,8	78,9	21,1
2007	92,8	7,2	88,0	12,0	78,6	21,4
2008	92,3	7,7	86,7	13,3	78,8	21,2

Source(s) : Statistique Canada, Centre canadien de la statistique juridique, Enquête sur l'administration policière.

Décembre 2008, n° 85-225-X au catalogue

Annexe IV

PERSONNEL POLICIER DES SERVICES DE POLICE MUNICIPAUX — TERRE-NEUVE-ET-LABRADOR, 2008

	POPULATION[1] NOMBRE	POLICIERS Hommes	Femmes NOMBRE	Total
Population 100 000 habitants et plus				
St. John's, Force constabulaire royale de Terre-Neuve	182 605	250	53	303
Population 15 000 à 49 999 habitants				
Corner Brook, Force constabulaire royale de Terre-Neuve	20 380	38	7	45
Population 5 000 à 14 999 habitants				
Labrador City, Force constabulaire royale de Terre-Neuve[2]	9 762	16	5	21

1. Les chiffres de population sont fondés sur les estimations postcensitaires provisoires au 1er juillet pour 2007 (selon les données du Recensement de 2001 incluses dans les limites du Recensement de 2006), Division de la démographie de Statistique Canada, mais sont ajustés en fonction des limites des territoires des services de police. Les chiffres de population pour 2008 ne sont pas encore disponibles.

2. La région antérieurement couverte par Churchill Falls est exclue du calcul de la densité de la population.

Note : Il n'y a pas de services de police municipaux à Terre-Neuve-et-Labrador. La Force constabulaire royale de Terre-Neuve, un service de police provincial, est responsable de la prestation des services policiers aux trois plus grandes municipalités et, aux fins du présent rapport, elles ont été incluses ci-dessus.

Source(s) : Statistique Canada, Centre canadien de la statistique juridique, Enquête sur l'administration policière.

Décembre 2008, n° 85-225-X au catalogue

PERSONNEL POLICIER DES SERVICES DE POLICE MUNICIPAUX — ÎLE-DU-PRINCE-ÉDOUARD, 2008

	POPULATION[1] NOMBRE	Hommes	POLICIERS Femmes NOMBRE	Total
Population 15 000 à 49 999 habitants				
Charlottetown	32 664	52	6	58
Summerside	15 062	23	2	25
Population 5 000 à 14 999 habitants				
Stratford, Gendarmerie royale du Canada	7 062	3	2	5
Population moins de 5 000 habitants				
Borden-Carleton	775	3	0	3
Kensington	1 414	3	1	4
Montague, Gendarmerie royale du Canada	1 855	1	2	3

1. Les chiffres de population sont fondés sur les estimations postcensitaires provisoires au 1er juillet pour 2007 (selon les données du Recensement de 2001 incluses dans les limites du Recensement de 2006), Division de la démographie de Statistique Canada, mais sont ajustés en fonction des limites des territoires des services de police. Les chiffres de population pour 2008 ne sont pas encore disponibles.

Note : Les comparaisons entre les services de police doivent être faites avec prudence. Le nombre de policiers indiqué peut ne pas représenter le nombre de policiers pouvant être affectés à la surveillance communautaire générale étant donné que dans certaines collectivités, certains policiers doivent limiter leur surveillance à des endroits particuliers (ex. port ou aéroport).

Source(s) : Statistique Canada, Centre canadien de la statistique juridique, Enquête sur l'administration policière.

Décembre 2008, n° 85-225-X au catalogue

PERSONNEL POLICIER DES SERVICES DE POLICE MUNICIPAUX — NOUVELLE-ÉCOSSE, 2008

	POPULATION[1] NOMBRE	POLICIERS Hommes	POLICIERS Femmes NOMBRE	Total
Population 100 000 habitants et plus				
Police régionale du cap Breton	103 418	195	9	204
Police régionale de Halifax	215 830	421	84	505
Population 5 000 à 14 999 habitants				
Amherst	9 560	22	1	23
Bridgewater	8 048	18	4	22
Kentville	5 923	21	1	22
New Glasgow	9 325	23	3	26
Truro	11 305	29	6	35
Yarmouth, Gendarmerie royale du Canada	7 757	15	4	19
Population moins de 5 000 habitants				
Annapolis Royal	524	4	0	4
Springhill	4 106	10	0	10
Stellarton	4 791	9	1	10
Trenton	2 714	6	1	7
Westville	3 902	7	0	7
Gendarmerie royale du Canada				
Antigonish	4 744	7	2	9
Digby	2 060	4	1	5
Oxford	1 355	3	0	3
Parrsboro	1 482	3	0	3
Pictou	3 842	5	1	6
Port Hawkesbury	3 625	3	2	5
Shelburne	1 925	4	0	4
Windsor	3 875	5	3	8

1. Les chiffres de population sont fondés sur les estimations postcensitaires provisoires au 1er juillet pour 2007 (selon les données du Recensement de 2001 incluses dans les limites du Recensement de 2006), Division de la démographie de Statistique Canada, mais sont ajustés en fonction des limites des territoires des services de police. Les chiffres de population pour 2008 ne sont pas encore disponibles.

Note : Les comparaisons entre les services de police doivent être faites avec prudence. Le nombre de policiers indiqué peut ne pas représenter le nombre de policiers pouvant être affectés à la surveillance communautaire générale étant donné que dans certaines collectivités, certains policiers doivent limiter leur surveillance à des endroits particuliers (ex. port ou aéroport).

Source(s) : Statistique Canada, Centre canadien de la statistique juridique, Enquête sur l'administration policière.

Décembre 2008, n° 85-225-X au catalogue

PERSONNEL POLICIER DES SERVICES DE POLICE MUNICIPAUX — NOUVEAU-BRUNSWICK, 2008

	POPULATION[1] NOMBRE	POLICIERS Hommes	POLICIERS Femmes NOMBRE	Total
Population 100 000 habitants et plus				
Police régionale de Codiac, Gendarmerie royale du Canada	104 650	127	20	147
Population 50 000 à 99 888 habitants				
Fredericton	52 339	89	23	112
Saint John	69 357	149	21	170
Population 15 000 à 49 999 habitants				
Edmundston	17 027	28	5	33
Miramichi Police Force	17 805	31	4	35
Police régionale de Rothesay	27 864	25	8	33
Population 5 000 à 14 999 habitants				
Police régionale de B.N.P.P.	8 686	15	1	16
Bathurst	12 268	25	5	30
Grand Falls	5 714	13	3	16
Woodstock	5 369	12	1	13
Gendarmerie royale du Canada				
Campbellton	7 289	16	1	17
Oromocto	8 633	9	4	13
Sackville	5 635	6	5	11
Population moins de 5 000 habitants				
Gendarmerie royale du Canada				
Buctouche	2 434	2	0	2
Cap Pele	2 426	3	1	4
Hampton	4 208	5	0	5
Mcadam	1 532	2	1	3
Richibucto	1 283	3	0	3
Saint Quentin	2 165	3	0	3
St. Andrews	2 019	3	0	3

1. Les chiffres de population sont fondés sur les estimations postcensitaires provisoires au 1er juillet pour 2007 (selon les données du Recensement de 2001 incluses dans les limites du Recensement de 2006), Division de la démographie de Statistique Canada, mais sont ajustés en fonction des limites des territoires des services de police. Les chiffres de population pour 2008 ne sont pas encore disponibles.

Note : Les comparaisons entre les services de police doivent être faites avec prudence. Le nombre de policiers indiqué peut ne pas représenter le nombre de policiers pouvant être affectés à la surveillance communautaire générale étant donné que dans certaines collectivités, certains policiers doivent limiter leur surveillance à des endroits particuliers (port ou aéroport).

Source(s) : Statistique Canada, Centre canadien de la statistique juridique, Enquête sur l'administration policière.

Décembre 2008, n° 85-225-X au catalogue

PERSONNEL POLICIER DES SERVICES DE POLICE MUNICIPAUX — QUÉBEC, 2008

	POPULATION[1] NOMBRE	Hommes	POLICIERS Femmes NOMBRE	Total
Population 100 000 habitants et plus				
Gatineau	251 274	271	77	348
Laval	381 651	361	139	500
Lévis	133 470	114	27	141
Longueuil	395 168	398	144	542
Montréal	1 871 846	3 160	1 321	4 481
Québec	535 321	566	175	741
Richelieu/Saint-Laurent	180 520	171	42	213
Saguenay	144 924	153	26	179
Sherbrooke	149 875	165	35	200
Terrebonne	121 845	101	26	127
Trois-Rivières	127 190	137	25	162
Population 50 000 à 99 888 habitants				
Châteauguay	69 899	78	17	95
Granby	60 902	65	6	71
Saint-Jérôme-Métro	67 600	86	16	102
Repentigny	86 644	71	11	82
Roussillon, Régie intermunicipale	95 717	77	16	93
Saint-Jean-sur-Richelieu	88 803	71	21	92
Thérèse-de-Blainville	80 080	80	15	95
Population 15 000 à 49 999 habitants				
Blainville	45 934	51	10	61
Deux-Montagnes, service régional	41 065	42	7	49
L'Assomption	20 730	24	9	33
Mascouche	35 822	36	8	44
Memphrémagog	31 142	39	6	45
Mirabel	48 232	36	5	41
MRC des Collines de l'Outaouais	41 446	39	10	49
Rivière-du-Loup	18 927	26	2	28
Saint-Eustache	43 788	47	12	59
Saint-Georges	30 105	26	2	28
Thetford Mines	25 740	29	4	33
Population 5 000 à 14 999 habitants				
Bromont	5 925	12	6	18
Kahnawake Police Autochtone	9 920	21	4	25
Kativik, service régional[2]	11 269	50	4	54
Mont-Tremblant	10 152	27	7	34
Rivière-du-Nord, Régie	12 590	17	4	21

Sainte-Adèle	10 385	18	4	22
Sainte-Marie	11 898	12	2	14
Population moins de 5 000 habitants				
Amérindienne de Betsiamites[3]	2 768	–	–	–
Amérindienne de la Romaine[3]	1 106	–	–	–
Amérindienne de Manawan	2 068	13	0	13
Amérindienne de Mingan[3]	352	–	–	–
Amérindienne de Wemotaci[2]	1 329	5	2	7
Amérindienne d'Odanak	461	2	0	2
Barriere Lake[3,4]	333	–	–	–
Chisasibi[3]	3 869	–	–	–
D'Essipit	265	2	1	3
Eagle Village[2]	297	2	0	2
Eastmain	760	1	0	1
Gesgapegiac Amerindian[2]	576	3	0	3
Kitigan Zibi Anishinabeg	1 306	10	0	10
Lac Simon[5]	1 179	0	0	0
Long Point[3]	159	–	–	–
Listuguj	1 719	12	1	13
Mashteuiatsh	2 074	10	1	11
Mistissini[3]	3 050	–	–	–
Montagnaise de Natashquan[3]	948	–	–	–
Montagnais de Pakua Shipi[3]	214	–	–	–
Montagnais de Schefferville[3]	–	3	0	3
Naskapi[2]	638	3	1	4
Nemaska[3]	702	–	–	–
Obedjiwan[3]	1 957	–	–	–
Oujé-Bougoumou[3]	680	–	–	–
Pikogan	454	2	1	3
Timiskaming	633	5	0	5
Uashat-Maliotenam[2]	2 894	12	3	15
Waskaganish[3]	1 962	–	–	–
Waswanipi	1 562	2	2	4
Wemindji[3]	1 242	–	–	–
Wendake	1 772	14	0	14
Wôlinak[2]	154	2	0	2

1. Les chiffres de population sont fondés sur les estimations postcensitaires provisoires au 1er juillet pour 2007 (selon les données du Recensement de 2001 incluses dans les limites du Recensement de 2006), Division de la démographie de Statistique Canada, mais sont ajustés en fonction des limites des territoires des services de police. Les chiffres de population pour 2008 ne sont pas encore disponibles.

2. Les données sur l'effectif n'étaient pas disponibles pour 2008; par conséquent, on a utilisé les données sur l'effectif pour 2007.

3. Non-répondant.

4. Ce service de police a ouvert en 2006. Les données qui s'y rapportent sont comprises dans celles de la Sûreté du Québec.

5. Ce service de police emploie des agents spéciaux autochtones. Les agents spéciaux autochtones sont des membres du personnel qui ont des pouvoirs limités en matière d'application de la loi. Ils assurent certains services policiers au sein des collectivités autochtones et servent d'agent de liaison entre les agents de police assermentés et les membres de la collectivité.

Note(s) : Les comparaisons entre les services de police doivent être faites avec prudence. Le nombre de policiers indiqué peut ne pas représenter le nombre de policiers pouvant être affectés à la surveillance communautaire générale étant donné que dans certaines collectivités, certains policiers doivent limiter leur surveillance à des endroits particuliers (port ou aéroport).

Source(s) : Statistique Canada, Centre canadien de la statistique juridique, Enquête sur l'administration policière.

Décembre 2008, n° 85-225-X au catalogue

PERSONNEL POLICIER DES SERVICES DE POLICE MUNICIPAUX — ONTARIO, 2008

| | POPULATION[1] | POLICIERS | | |
| | | Hommes | Femmes | Total |
	NOMBRE		NOMBRE	
Population 100 000 habitants et plus				
Barrie	139 298	170	32	202
Chatham-Kent	109 123	151	16	167
Durham, service régional	595 354	673	154	827
Grand Sudbury	162 438	203	46	249
Guelph	120 254	154	28	182
Halton, service régional	468 980	458	128	586
Hamilton, service régional	519 741	648	146	794
Kingston	119 423	149	35	184
London	362 561	473	95	568
Niagara, service régional	433 946	607	86	693
Ottawa	846 169	987	286	1 273
Peel, service régional	1 222 639	1 433	267	1 700
Thunder Bay	114 286	188	35	223
Toronto	2 651 717	4 593	942	5 535
Waterloo, service régional	496 370	586	126	712
Windsor	220 569	406	69	475
York, service régional	975 501	1 090	228	1 318
Population 50 000 à 99 888 habitants				
Brantford	93 156	134	18	152
North Bay	56 716	77	11	88
Oxford Community	62 221	69	15	84
Peterborough Lakefield	76 368	103	19	122
Sarnia	74 253	98	12	110
Sault Ste. Marie	76 136	114	23	137
South Simcoe Police	57 584	67	9	76
Police provinciale de l'Ontario				
Caledon	73 877	46	19	65
Lambton Group	52 661	67	0	67

Nottawasaga	54 122	40	14	54
Norfolk	63 864	76	15	91
Stormont/Dundas/Glengarry	67 113	68	14	82
Comté de Wellington	88 944	81	22	103
Population 15 000 à 49 999 habitants				
Amherstburg	21 510	27	4	31
Belleville	49 234	71	15	86
Brockville	22 113	35	6	41
Cobourg	19 125	27	2	29
Cornwall Community Police	45 773	77	12	89
Essex	20 719	28	4	32
Kawartha Lakes Police	23,70 ͬ	28	7	35
Lasalle	32 105	28	6	34
Leamington	29 131	37	4	41
Midland	15 655	23	3	26
Nishnawbe-Aski	18 304	106	19	125
Orangeville	29 337	34	4	38
Owen Sound	22 422	35	5	40
St. Thomas	38 202	55	10	65
Stratford	31 203	50	5	55
Strathroy	21 460	28	1	29
Timmins	42 123	76	8	84
Police provinciale de l'Ontario				
Comté de Brant	35 941	40	8	48
Collingwood	16 177	23	8	31
Comté d'Elgin	44 741	33	9	42
Grand Napanee	16 315	15	8	23
Haldimand	47 820	49	9	58
Kingsville	21 010	20	4	24
Lakeshore	31 961	26	6	32
Loyalist	15 556	12	6	18
Orillia	29 950	34	12	46
Comté de Prince Edward	26 232	26	7	33
Quinte West	44 128	44	12	56
Smith/Ennismore	17 263	12	2	14
South Frontenac	17 854	14	2	16
Tecumseh	26 565	26	5	31
Tillsonburg	15 826	17	5	22
Kemptville	15 625	15	5	20
Population 5 000 à 14 999 habitants				
Anishinabek[2]	7 168	–	–	–
Aylmer	7 815	11	2	13

Dryden	8085	15	5	20
Espanola	5193	10	1	11
Gananoque	5402	12	2	14
Hanover	7045	13	1	14
Kenora	9743ʳ	29	6	35
Pembroke	13453	27	2	29
Perth	6276	13	2	15
Port Hope	12284ʳ	22	3	25
Saugeen Shores	11610	17	3	20
Service de police de Six Nations	7385	25	2	27
Smiths Falls	9368	22	2	24
Stirling-Rawdon	5237	8	0	8
Treaty Three Communities	5971	65	18	83
West Grey	12560	16	2	18
West Nipissing	13283	18	2	20
Police provinciale de l'Ontario				
Alnwick-Haldimand	6851	6	1	7
Augusta	8087	5	2	7
Beckwith	6982	2	1	3
Municipalité de Brighton	10354	9	3	12
Brockton	9929	14	3	17
Carleton Place	10076	14	3	17
Cavan/Millbrook/North Monaghan	9019	8	2	10
Ville de Kenora	5697 ʳ	9	3	12
Canton de Cramahe	6236	6	2	8
Douro-Dummer	6858	4	1	5
Drummond-North Elmsley	7469	4	1	5
Elliot Lake	11262	15	4	19
Fort Frances	8079	17	3	20
Georgian Bluffs	10440	6	1	7
Goderich	7962	11	2	13
Comté de Grey Chatsworth	6553	4	0	4
Grey Highlands	10375	8	2	10
Hawkesbury	11196	19	3	22
Hearst	5935	8	4	12
Ville d'Ingersoll	12083	15	4	19
Kapuskasing	8936	9	2	11
Kincardine	11011	14	2	16
Kirkland Lake	7898	17	2	19
Lanark Highlands	5126	2	1	3
Meaford	10688	11	2	13
Mississippi Mills	12674	7	2	9

Mono	7 111	7	1	8
Municipalité de South Huron	10 147	10	1	11
North Perth	12 616	14	3	17
Canton de Hamilton	12 276	7	2	9
Otonabee/South Monaghan	7 029	5	1	6
Penetanguishene	8 615	13	6	19
Petawawa	14 020	9	4	13
Renfrew	8 192	11	2	13
Rideau Lakes	10 419	9	2	11
Southgate	7 814	5	0	5
St. Marys	6 871	6	0	6
Stone Mills	7 956	3	2	5
Canton de Tay Valley	5 914	2	1	3
Ville de Blue Mountains	6 998	13	3	16
Trent Hills	13 227	15	4	19
West Perth	9 601	10	2	12
Wiarton	8 889	12	3	15
Population moins de 5 000 habitants				
Service de police d'Akwesasne Mohawk	4 671	24	4	28
Deep River	3 976	8	0	8
Lac Seul	707	6	2	8
Canton de Michipicoten[3]	3 463	8	3	11
Mnjikaning[2]	670	–	–	–
Shelburne	4 477	10	1	11
Tyendinaga	1 599	5	1	6
U.C.C.M. Anishnaabe Police	1 774	13	3	16
Wikwemikong	2 864	14	3	17
Wingham	2 921[r]	7	0	7
Police provinciale de l'Ontario				
Admaston-Bromley	2 973	1	1	2
Amaranth	3 994	2	0	2
Asphodel-Norwood	4 020	4	1	5
Atikokan	3 314	9	2	11
Blind River	3 904	7	2	9
Bonfield	2 606	1	0	1
Cochrane	4 598[r]	9	1	10
Deseronto[4]	1 913	–	–	–
Dymond	4 626	2	0	2
East Luther-Grand Valley	2 810	2	0	2
East Ferris	4 690	1	1	2
East Garafraxa	2 292	1	1	2

Harvey/Galaway/Cavendish	4 515	7	1	8
Havelock/Belmont/Methuen	4 850	5	0	5
Hope	4 095ʳ	3	1	4
Ignace	1 625	3	1	4
Laird	1 056	1	0	1
Laurentian Hills	2 868	2	0	2
Macdonald Meredith et al.	1 506	1	0	1
Marathon	4 911	7	1	8
Mattawa Group of Four	4 240	6	1	7
Melancthon	2 863	2	0	2
Merrickville	3 230	2	1	3
Montague	3 595	2	1	3
Mulmur	3 226	4	0	4
New Liskeard	861	7	2	9
North Kawartha	2 279	3	1	4
North Shore	459	1	0	1
Point Edward	2 061	6	0	6
Powassan	3 454	2	0	2
Prescott	4 170	9	3	12
Red Lake	3 653	14	1	15
Red Rock	1 257	2	0	2
Ville de Bruce Mines	657	1	0	1
Ville de Spanish	797	1	0	1
Canton de Johnson	638	1	0	1
Shuniah	2 737	3	1	4
Sioux Narrows Nestor	385ʳ	2	0	2
Smooth Rock Falls	1 776	2	0	2
Temagami	790	2	1	3
Terrace Bay	1 650	2	0	2
Thessalon	1 400	2	1	3
Autoroute 407	–	31	7	38

1. Les chiffres de population sont fondés sur les estimations postcensitaires provisoires au 1er juillet pour 2007 (selon les données du Recensement de 2001 incluses dans les limites du Recensement de 2006), Division de la démographie de Statistique Canada, mais sont ajustés en fonction des limites des territoires des services de police. Les chiffres de population pour 2008 ne sont pas encore disponibles.

2. Non-répondant.

3. Les données sur l'effectif n'étaient pas disponibles pour 2008; par conséquent, on a utilisé les données sur l'effectif pour 2007.

4. Deseronto a cessé d'être un contrat de la Police provinciale de l'Ontario le 1er juin 2007.

Note(s) : Les comparaisons entre les services de police doivent être faites avec prudence. Le nombre de policiers indiqué peut ne pas représenter le nombre de policiers pouvant être affectés à la surveillance communautaire générale étant donné que dans certaines collectivités, certains policiers doivent limiter leur surveillance à des endroits particuliers (ex. port ou aéroport).

Source(s) : Statistique Canada, Centre canadien de la statistique juridique, Enquête sur l'administration policière.

Décembre 2008, n° 85-225-X au catalogue

PERSONNEL POLICIER DES SERVICES DE POLICE MUNICIPAUX — MANITOBA, 2008

| | POPULATION[1] | POLICIERS | | |
| | | Hommes | Femmes | Total |
	NOMBRE		NOMBRE	
Population 100 000 habitants et plus				
Winnipeg	653 733	1 120	191	1 311
Population 15 000 à 49 999 habitants				
Brandon	42 641	69	10	79
Population 5 000 à 14 999 habitants				
Dakota Ojibway	5 347	21	3	24
East St. Paul	9 474	8	1	9
Morden	7 400	11	0	11
Winkler	9 713	15	0	15
Gendarmerie royale du Canada				
Dauphin	8 075	11	4	15
Flin Flon	5 644	9	1	10
Portage La Prairie	13 044	20	6	26
Selkirk	9 570	15	3	18
Steinbach	11 478	10	1	11
The Pas	5 630	14	0	14
Thompson	13 289	29	9	38
Population moins de 5 000 habitants				
Altona	3 920	7	0	7
Rivers	1 187	3	0	3
Ste. Anne[2]	1 707	2	1	3
Gendarmerie royale du Canada				
Beausejour	2 959	2	1	3
Boissevan	1 474	2	0	2
Carman	3 287	2	1	3
Gillam	877	4	0	4
Killarney	2 291	3	0	3
Minnedosa	2 443	2	1	3
Neepawa	3 405	4	0	4
Pinawa	1 350	2	0	2
Roblin	1 704	2	0	2
Russell	1 539	2	0	2
Souris	1 911	2	0	2
Stonewall	4 595	3	1	4
Swan River	4 063	7	0	7
Virden	3 110	4	1	5

1. Les chiffres de population sont fondés sur les estimations postcensitaires provisoires au 1er juillet pour 2007 (selon les données du Recensement de 2001 incluses dans les limites du Recensement de 2006), Division de la démographie de Statistique Canada, mais sont ajustés en fonction des limites des territoires des services de police. Les chiffres de population pour 2008 ne sont pas encore disponibles.

2. Les données sur l'effectif n'étaient pas disponibles pour 2008; par conséquent, on a utilisé les données sur l'effectif pour 2007.

Note : Les comparaisons entre les services de police doivent être faites avec prudence. Le nombre de policiers indiqué peut ne pas représenter le nombre de policiers pouvant être affectés à la surveillance communautaire générale étant donné que dans certaines collectivités, certains policiers doivent limiter leur surveillance à des endroits particuliers (ex. port ou aéroport).

Source(s) : Statistique Canada, Centre canadien de la statistique juridique, Enquête sur l'administration policière.

Décembre 2008, n° 85-225-X au catalogue

PERSONNEL POLICIER DES SERVICES DE POLICE MUNICIPAUX — SASKATCHEWAN, 2008

| | POPULATION[1] | POLICIERS | | |
| | | Hommes | Femmes | Total |
	NOMBRE		NOMBRE	
Population 100 000 habitants et plus				
Regina[2]	183 540	287	75	362
Saskatoon	206 365	319	87	406
Population 15 000 à 49 999 habitants				
Moose Jaw	32 435	44	4	48
Prince Albert	34 065	67	10	77
Gendarmerie royale du Canada				
Lloydminster	24 748	24	7	31
Yorkton	15 280	17	6	23
Population 5 000 à 14 999 habitants				
Estevan	10 132	18	3	21
Weyburn	9 393	14	3	17
Gendarmerie royale du Canada				
Humboldt	5 337	5	0	5
Martinsville	5 905	3	3	6
Melfort	5 134	5	2	7
North Battleford	13 226	23	8	31
Swift Current	14 799	14	3	17
Warman	5 809	3	1	4
Population moins de 5 000 habitants				
Caronport	965	1	0	1
Corman Park Police	–	4	1	5
Dalmeny	1 856	2	1	3
File Hills First Nations	1 908	4	2	6
Luseland	580	1	0	1
Stoughton	753	1	0	1
Gendarmerie royale du Canada				
Assiniboia	2 319	3	0	3
Battleford	3 610	5	0	5
Biggar	2 084	3	0	3
Canora	2 218	1	0	1
Creighton	1 431	2	1	3
Esterhazy	2 137	2	1	3
Fort Qu'Appelle	1 980	5	0	5
Hudson Bay	1 616	3	0	3
Indian Head	1 758	2	0	2
Kamsack	1 774	6	1	7

Kindersley	4 373	5	1	6
La Ronge	2 526	6	2	8
Lanigan	1 240	1	0	1
Maple Creek	2 233	3	0	3
Meadow Lake	4 359	8	1	9
Melville	4 350	4	1	5
Moosomin	2 356	1	2	3
Outlook	2 222	3	0	3
Rosetown	2 397	3	0	3
Shaunavon	1 688	2	0	2
Tisdale	3 082	3	1	4
Unity	2 297	1	0	1
Wadena	1 329	1	1	2
Watrous	1 808	1	1	2
Wilkie	1 193	2	1	3
Wynyard	1 862	2	1	3

1. Les chiffres de population sont fondés sur les estimations postcensitaires provisoires au 1er juillet pour 2007 (selon les données du Recensement de 2001 incluses dans les limites du Recensement de 2006), Division de la démographie de Statistique Canada, mais sont ajustés en fonction des limites des territoires des services de police. Les chiffres de population pour 2008 ne sont pas encore disponibles.

2. Le nombre d'employés comprend 51,3 agents et civils dont le financement est assuré par le gouvernement fédéral ou provincial.

Note : Les comparaisons entre les services de police doivent être faites avec prudence. Le nombre de policiers indiqué peut ne pas représenter le nombre de policiers pouvant être affectés à la surveillance communautaire générale étant donné que dans certaines collectivités, certains policiers doivent limiter leur surveillance à des endroits particuliers (ex. port ou aéroport).

Source(s) : Statistique Canada, Centre canadien de la statistique juridique, Enquête sur l'administration policière.

Décembre 2008, n° 85-225-X au catalogue

PERSONNEL POLICIER DES SERVICES DE POLICE MUNICIPAUX — ALBERTA, 2008

	POPULATION[1] NOMBRE	POLICIERS Hommes	POLICIERS Femmes NOMBRE	Total
Population 100 000 habitants et plus				
Calgary	1 038 481	1 398	222	1 620
Edmonton	763 732	1 107	238	1 345
Population 50 000 à 99 999 habitants				
Lethbridge	82 146	134	14	148
Medicine Hat	60 246	96	13	109
Gendarmerie royale du Canada				
Red Deer	97 038	83	28	111
St. Albert	64 535	33	8	41
Fort McMurray	54 813	79	24	103
Sherwood Park	51 940	48	16	64
Population 15 000 à 49 999 habitants				
Camrose	17 281	21	3	24
Gendarmerie royale du Canada				
Airdrie	27 628	18	7	25
Brooks	21 484	13	4	17
Cochrane	21 576	7	6	13
Grande Prairie	49 900	59	12	71
Leduc	26 729	10	7	17
Okotoks	17 188	10	3	13
Spruce Grove	19 155	13	3	16
Population 5 000 à 14 999 habitants				
Service de police de Blood Tribe	3 444	27	1	28
Lacombe	11 403	11	2	13
Taber	8 575	13	1	14
Gendarmerie royale du Canada				
Banff	7 885	13	4	17
Beaumont	9 152	5	3	8
Bonnyville	12 256	8	1	9
Canmore	14 289	13	4	17
Chestermere	7 466	7	2	9
Cold Lake	11 699	8	1	9
Devon	8 006	5	1	6
Drayton Valley	10 587	8	2	10
Drumheller	7 268	6	3	9
Edson	8 576	10	4	14
Fort Saskatchewan	18 104	11	9	20
High River	12 665	11	1	12

Hinton	9 631	9	5	14
Innisfail	8 492[r]	5	2	7
Morinville	7 566	6	3	9
Olds	7 779[r]	3	3	6
Peace River	6 554[r]	9	0	9
Ponoka	7 868	10	1	11
Rocky Mountain House	6 854	9	3	12
Slave Lake	6 721	12	0	12
St. Paul	5 558	6	1	7
Stettler	5 460	6	1	7
Stony Plain	12 049	11	0	11
Strathmore	11 506	6	4	10
Sylvan Lake	12 263	11	1	12
Vegreville	5 757	6	1	7
Wainwright	5 412	6	1	7
Wetaskiwin	11 980	13	6	19
Whitecourt	9 447	8	2	10
Population moins de 5 000 habitants				
Louis Bull[2]	998	6	0	6
North Peace Tribal[3]	1 334	–	–	–
Tsuu T'ina Nation	2 781	9	1	10

1. Les chiffres de population sont fondés sur les estimations postcensitaires provisoires au 1er juillet pour 2007 (selon les données du Recensement de 2001 incluses dans les limites du Recensement de 2006), Division de la démographie de Statistique Canada, mais sont ajustés en fonction des limites des territoires des services de police. Les chiffres de population pour 2008 ne sont pas encore disponibles.

2. Selon le ministère des Affaires indiennes et du Nord canadien, la population des bandes inscrites à Louis Bull Tribe s'établissait à 1 777 en 2007.

3. Ce service de police a ouvert en 2005 et n'a jamais répondu.

Note : Les comparaisons entre les services de police doivent être faites avec prudence. Le nombre de policiers indiqué peut ne pas représenter le nombre de policiers pouvant être affectés à la surveillance communautaire générale étant donné que dans certaines collectivités, certains policiers doivent limiter leur surveillance à des endroits particuliers (ex. port ou aéroport).

Source(s) : Statistique Canada, Centre canadien de la statistique juridique, Enquête sur l'administration policière.

Décembre 2008, n° 85-225-X au catalogue

PERSONNEL POLICIER DES SERVICES DE POLICE MUNICIPAUX — COLOMBIE-BRITANNIQUE, 2008

	POPULATION[1]	POLICIERS		
	NOMBRE	Hommes	Femmes	Total
			NOMBRE	
Population 100 000 habitants et plus				
Abbotsford	135 253	159	35	194
Delta	103 323	125	38	163
Saanich	112 335	120	29	149
Vancouver	609 785	1 059	292	1 351
Gendarmerie royale du Canada				
Burnaby	221 856	189	83	272
Coquitlam	133 218	92	38	130
Kelowna	113 109	107	35	141
Canton de Langley	100 591	79	32	111
Richmond[2]	193 164	159	47	206
Surrey	425 428	414	132	546
Population 50 000 à 99 999 habitants				
New Westminster	64 161	90	16	106
Victoria	95 477	171	54	225
Gendarmerie royale du Canada				
Chilliwack	72 491	58	27	85
Kamloops	83 527	81	28	109
Maple Ridge	76 267	65	18	83
Nanaimo	83 648	89	29	118
District de North Vancouver	90 864	54	30	84
North Vancouver	50 191	48	24	72
Port Coquitlam	59 732	48	8	56
Prince George	73 911	91	27	118
Population 15 000 à 49 999 habitants				
Central Saanich	17 245	19	4	23
Oak Bay	18 819	24	2	26
Port Moody	29 122	37	7	44
West Vancouver	46 654	64	16	80
Gendarmerie royale du Canada				
Campbell River	31 074	32	8	40
Courtenay	22 650	19	7	26
Cranbrook	19 253	17	7	24
Fort St. John	19 109	20	8	28
Langford	21 661	14	7	21
Langley	26 110	33	11	44
Mission	33 831	37	11	48

North Cowichan	29 692	16	7	23
Penticton	33 168	38	5	43
Pitt Meadows	17 023	14	7	21
Port Alberni	18 147	27	6	33
Salmon Arm	17 201	14	3	17
Vernon	38 481	38	12	50
White Rock	20 516	18	4	22
Population 5 000 à 14 999 habitants				
Nelson	9 436	16	1	17
Gendarmerie royale du Canada				
Castlegar	7 937	8	3	11
Coldstream District Municipal	10 153	6	1	7
Colwood	14 366	9	2	11
Comox	12 919	7	4	11
Dawson Creek	11 407	17	5	22
Hope	6 439	9	4	13
Kimberley	6 397	7	1	8
Kitimat	9 513	14	1	15
Ladysmith	7 601	6	2	8
Lake Country	10 341	8	3	11
Mackenzie[3]	–	–	–	–
Merritt	6 919	12	1	13
North Saanich	11 119	8	5	13
Parksville	12 502	13	1	14
Powell River	13 353	16	1	17
Prince Rupert	13 654	25	4	29
Qualicum Beach	8 979	5	2	7
Quesnel	9 818	18	2	20
Revelstoke	7 431	10	2	12
Sechelt	9 171	4	3	7
Sidney	11 891	10	4	14
Smithers	5 195	6	3	9
Sooke	9 620	6	3	9
Squamish	14 357	17	10	27
Summerland	11 696	5	3	8
Terrace	11 509	20	2	22
Trail	7 731	11	3	14
View Royal	8 866	4	2	6
Whistler	10 966	16	5	21
Williams Lake	11 427	21	3	24

Population moins de 5 000 habitants[4]

Kitasoo/Xaixais Public Safety[5]	281	2	0	2
Stl'atl'imx Tribal Police	2 454	6	2	8

1. Les chiffres de population sont fondés sur les estimations postcensitaires provisoires au 1er juillet pour 2007 (selon les données du Recensement de 2001 incluses dans les limites du Recensement de 2006), Division de la démographie de Statistique Canada, mais sont ajustés en fonction des limites des territoires des services de police. Les chiffres de population pour 2008 ne sont pas encore disponibles.

2. L'effectif policier autorisé pour Richmond ne comprend pas 27 postes affectés à la sûreté de l'aéroport de Vancouver en 2007. Ces postes sont gérés par l'entremise du détachement de la Gendarmerie royale du Canada de Richmond, mais l'administration aéroportuaire de Vancouver rembourse 100 % du coût à la Ville de Richmond.

3. Le 1er avril 2008, Mackenzie est revenue à un service de police provincial; par conséquent, les données réelles et les données sur l'effectif ne sont pas présentées.

4. Toutes les municipalités comptant moins de 5 000 habitants et les régions non constituées sont desservies par les services provinciaux de la Gendarmerie royale du Canada. Dans le présent rapport, les deux services policiers faisant partie de cette catégorie sont les services de police administrés par les Premières Nations.

5. Les données sur l'effectif n'étaient pas disponibles pour 2008; par conséquent, on a utilisé les données sur l'effectif pour 2007.

Note : Les comparaisons entre les services de police doivent être faites avec prudence. Le nombre de policiers indiqué peut ne pas représenter le nombre de policiers pouvant être affectés à la surveillance communautaire générale étant donné que dans certaines collectivités, certains policiers doivent limiter leur surveillance à des endroits particuliers (ex. port ou aéroport).

Source(s) : Statistique Canada, Centre canadien de la statistique juridique, Enquête sur l'administration policière.

Décembre 2008, n° 85-225-X au catalogue

Table des matières

CHAPITRE VIII